立教大学 コミュニティ福祉学部
東日本大震災復興支援推進室

復興支援ってなんだろう？

人とコミュニティによりそった5年間

本の泉社

「気仙沼・大島交流プログラム」で大島の“おばあちゃん”こと、熊谷すん子さんを歓迎する立教大生ら＝宮城県気仙沼市大島の大島中学校応急仮設住宅で

陸前高田交流プログラム

震災遺構の雇用促進住宅を訪れ、被災状況を視察する立教大生ら＝岩手県陸前高田市で

震災遺構の米沢商会ビルの屋上に立ち、津波の高さを体感する立教大生

津波の被災体験を住民の方から直接聞く

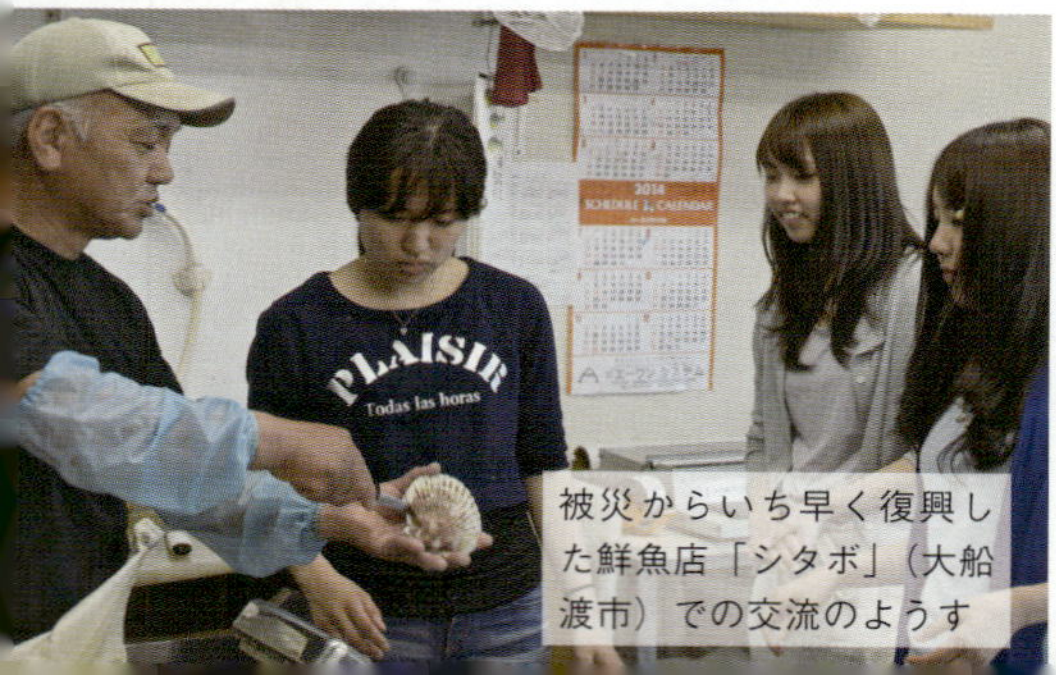

被災からいち早く復興した鮮魚店「シタボ」（大船渡市）での交流のようす

元広田小学校校長を立教大学陸前高田サポートハウスに招きお話を聞くことも

気仙沼・大島交流プログラム

レクリエーションを楽しむ大島小学校の児童と立教大生ら＝宮城県気仙沼市大島で

「べんきょうお手伝い隊」として、大島の女子中学生に勉強を教える立教大生ら＝大島開発総合センターで

南三陸交流プログラム

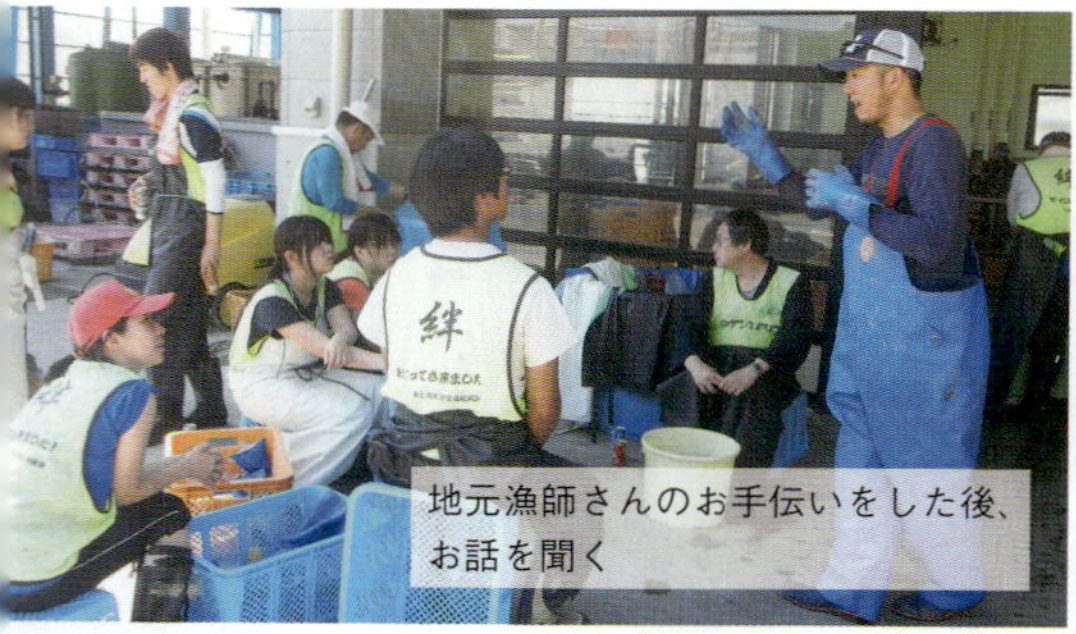

地元漁師さんのお手伝いをした後、お話を聞く

南方仮設住宅（登米市）で「生活支援員」の映像を記録する

歌津の平成の森仮設住宅の「カフェ・あづま〜れ」での交流会後、住民の方々に贈った寄せ書き

「さとうみファーム」では間伐材の製材作業も手伝う

廃校を活用した宿「さんさん館」（入谷）では、地元住民やNPOの方々と地域の民俗資料「おとマップ」づくりもした

石巻交流プログラム

津波の全壊被害から立ち上がった介護事業所「めだかの楽園」の納涼祭に参加する立教大生ら＝宮城県石巻市で

「めだかの楽園」の利用者の皆さんと行ったうちわ作り

流しそうめんを楽しむ

「めだかの学校」の利用者さんと交流する

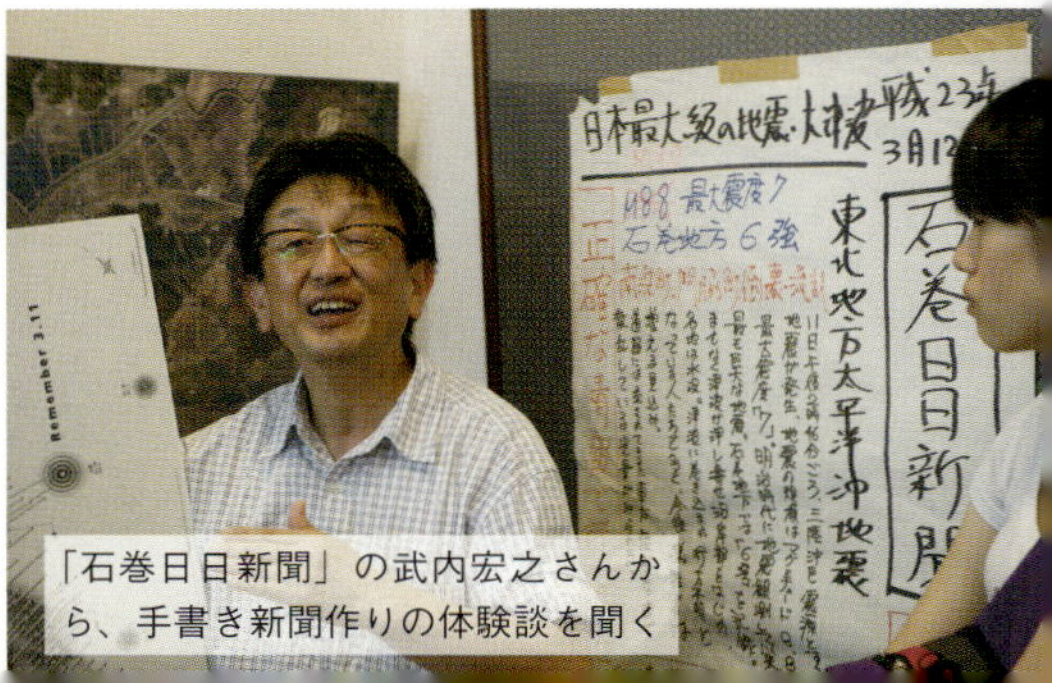

「石巻日日新聞」の武内宏之さんから、手書き新聞作りの体験談を聞く

いわき交流プログラム

津波で壊滅的被害を受けた薄磯の災害公営住宅（団地）に植樹する

若者減少で継続が危ぶまれた薄井神社のお神輿を一緒にかつぐ

住民の方々と薄磯団地集会所で。高齢者の方々が座れるようベンチを作ったり、地魚を料理したりして交流している

薄磯団地で、夏祭りを共催

南台仮設住宅の双葉町社協サロンで、避難住民の皆さんと

新宿交流プログラム　東久留米交流プログラム

福島県等から避難してきた方々が住む都営団地で、「さんさん夏祭り」を共催している＝東京都新宿区で

福島県から避難している子どもたちと富士山麓へハイキング

避難生活の話に耳を傾ける

山荘に一泊して、避難住民の方々と記念撮影

「東日本大震災復興支援プロジェクト」パンフレット表紙

はじめに

この本が書店に並ぶ２０１６年3月は、東日本大震災（以下、「震災」と言います）から5年経ったということで、また大きなニュースになっていることと思いますが、全体的な傾向としては、多くの人の日常の記憶から震災のことは徐々に忘れられ、首都圏で起きた混乱（帰宅困難、物資不足、計画停電など）も「そう言えば、そんなこともあったなぁ」といった程度で、記憶の彼方になっているように思えます。

しかし、「被災地」に一歩足を踏み入れると、「復旧」「復興」のレベルは様々ですが、やっと緒に付いたというところもあり、首都圏で感じているのとは全く違うということを思い知らされます。また、外形的には復旧・復興しているように見えるところでも、そこに住む方々と話をすると、気持ちの上ではまだまだ大きな葛藤や困難を抱えていることに気付かされます。

とくに、地震・津波でそれまで住んでいたコミュニティが壊され、あるいは原発事故で住み続けること自体ができずにコミュニティが解体された人たちは、避難所でできかかったコミュニティが仮設住宅に移る際にまた壊され、さらに仮設住宅から出ていくときに3度目の解体に出会うことになります。加えて、震災を契機に、それまでゆっくりと進んでいた人口流出や産業構造の変化が加速され、その結果、コミュニティ自体の維持継続も困難になってきているところも出始めています。その意味でも、まだまだ復旧・復興というわけにはいかないと感じます。

立教大学コミュニティ福祉学部は、震災からの復旧・復興に向けて、学部内に「東日本大震災復興支援プロジェクト」を立ち上げ、「最低でも5年、長くて10年」というスパンでプロジェクトを考え、様々な活動を展開してきました。

活動は、東北3県で5か所（陸前高田、気仙沼、南三陸、石巻、いわき）、首都圏で2か所（新宿、東久留米）の計7か所（「拠点」と呼んでいます）で行っています。各拠点では、その地域の特色や関係者との関わりの特性を踏まえて、それぞれ独自の活動を展開しています。それぞれの拠点で活動を始めたきっかけ、これまでの経過と段階、活動の内容、現在の課題などについては本文で詳しく説明することになりますが、すべての拠点で同じということではありません。

したがって、この本を出版すると決めた時点でも、それぞれの拠点の復旧・復興状況や活動の内容や段階はバラバラです。にもかかわらず、この期に出版することを決めたのは、当初の「短くて5年」の時期に近づいてきたからです。私たちはこれからあと5年活動しようと決めていますが、これからの活動の方向性を考えるためにも、これまでを振り返ることが重要だと考えたためです。

この本を、大学関係者、震災の復旧・復興に関心のある方など、多くの方々にお読みいただき、ご意見を賜れれば幸いです。

２０１６年３月11日

森本佳樹
コミュニティ福祉学部
東日本大震災復興支援プロジェクト委員長
コミュニティ福祉学部教授

復興支援ってなんだろう？●もくじ

第 I 章

支える

交流する

学ぶ

つなぐ

プロジェクトを立ち上げる――「命の尊厳のために」

森本佳樹
コミュニティ福祉学部教授

コミュニティ福祉学部(以下、「コミ福」と言います)は、震災が起きた2011年3月11日から約1か月後の4月13日の教授会で、東日本大震災復興支援プロジェクト(以下、「プロジェクト」と言います)の設置を決めました。コミ福が、学部としてプロジェクトを立ち上げた最も大きな理由は、コミ福の設立理念と専門性にあります。

コミ福は1998年に開設され、「いのちの尊厳のために」を学部の理念とし、福祉を考える福祉学科、コミュニティを考えるコミュニティ政策学科、健康とスポーツを考えるスポーツウエルネス学科の3つの学科があり、1学年約400名の学生と大学院博士前期課程・後期課程の大学院生が在籍している、立教大学のなかでは比較的新しい学部です。

震災によって、多くの人の「いのちの尊厳」「福祉」「コミュニティ」「健康」が危機に晒されていることを座視しているわけにはいかないとして、プロジェクトを立ち上げました。

復旧・復興のプロセス

ところで、これまでの大きな震災などからの復旧・復興のプロセスを見ると、人々の生活の場やボランティアの活躍の場は、おおむね以下のような時間的な経過をたどるものと考えられます。

《人々の生活の場》

①避難所での生活（発災直後から数か月程度。仮設住宅が整備されるまで）：被災した人たちは、その多くが、自治体が指定した学校などに避難し、仮設住宅などが整備されるまで、そこで生活することになる。そこで、一時的なコミュニティが形成される。この時期から、さまざまな生活ニーズが発生することになる。今回の震災では、原発事故によって、遠く離れた地域に避難した人も多い（この中には、避難勧告を受けないが、自主的に避難した人もいる）。

②仮設住宅等での生活（公営住宅が整備されるまで）：仮設住宅の整備に応じて、避難所から移転する。それまでの避難所でのコミュニティがいったん壊れ、新しいコミュニティを形成することになる。今回の震災では、「見なし仮設」（民間アパートなどを仮設住宅として「見なす」方法）も多く、この場合は、そこにある

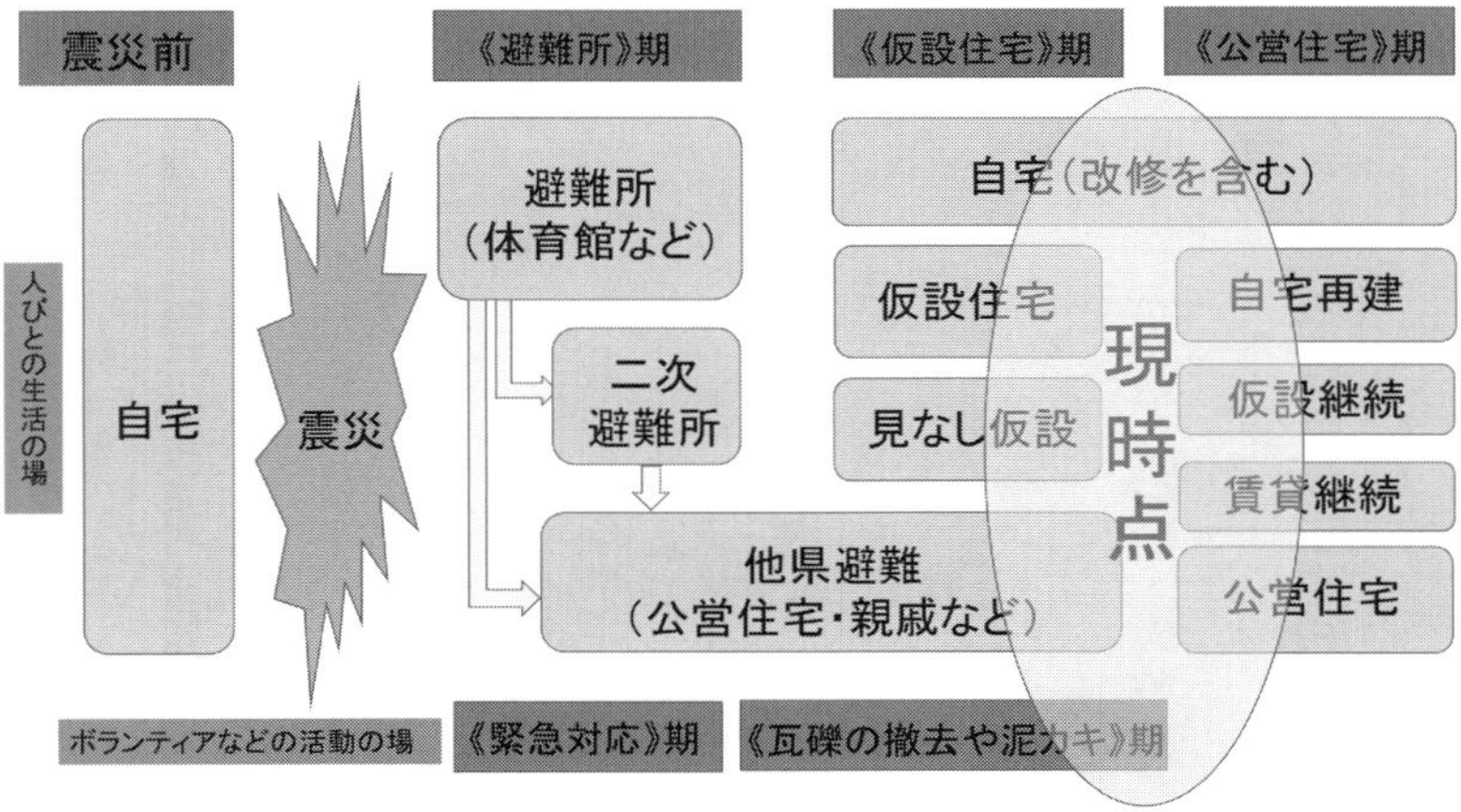

復旧・復興のプロセス

既存のコミュニティに帰属することになる。

③災害（復興）公営住宅での生活：新しい住居として、自治体等によって整備された公営住宅に移住する。また、自力で家を再建したり賃貸住宅に転居したりする者、仮設住宅に残らざるを得ない者などもいる。ここで、恒久的な生活が始まることになり、三回目のコミュニティづくりが求められる。

《ボランティアなどの活動の場》

①緊急対応の時期（発災から一週間程度）：人命救助や応急処置、火災鎮火などが中心。また、移動の確保も重要。したがって、警察・消防、医療・看護・介護、土木・建設などの専門性の高い技術が必要となる。

②瓦礫の撤去や泥カキの時期（緊急対応の時期が終る頃から）：災害ボランティアセンターなどの指揮のもとに、専門家の指導を得ながら、ボランティアなどが中心となって展開される。

生活の場で長期的に

プロジェクトは、以上のような予想をたて、以下のような方針で臨むことを決めました。

1、今回の震災は非常に大きな規模で、広いエリアで重大な被害が出ているため、復旧・復興には相当な年月がかかると予想できる。そのため、継続の必要性を確認しながら、最初は半年、さらに1年の活動を行い、その後は、少なくても5年のスパンを考えて活動する。また、どこかで発展的に解消する（長くて10年）ことも意識しておく。

2、復旧・復興プロセスを踏まえ、コミ福の専門性と女子学生が多いことを考えると、支援の重点は、緊急対応や瓦礫の撤去・泥カキではなく、避難所・仮設住宅及びその後の公営住宅など、生活が行われている場での支援・交流を中心とする。
3、活動の内容は、「被災地」の人たちのニーズに沿うものでなければならず、こちらの意図や想いの「押しつけ」であってはならない。そのためには、常に、ニーズの把握に勤め、合わせて活動の評価を行わなければならない。
4、生活が行われている場の状況は、その地域ごとに違うので、そこで活動するためには、そこで暮らす人たちとの信頼関係を構築する必要がある。そのためには、あちこちで展開するのではなく、1か所に決めて長期の活動を組み立てる必要がある。
5、長期の活動を受け入れてくれる拠点を確保するためには、教員などが個別に関係性を形成している場からアプローチすることが望ましい。また、そこでの活動の可能性をさぐるため、急いで活動をスタートさせることはしない。また、暮らしの支援は仮設住宅期から本格化すると思われるので、その意味でも、スタートを急がない。
6、学生すべてが現地に行けるわけではないので、現地での活動だけでなく、首都圏に避難してきた人たちへの支援や、学内での後方支援も組み込む。
7、学部の理念と専門性を考えるならば、活動は学生の学びにつながるものでなくてはならない。そのためには、活動中だけではなく、事前学習（ガイダンス）と事後学習（振り返り）を重視する。

「ヒト・モノ・カネ」などの活動資源を整備

このような方向性をもってプロジェクトをスタートさせましたが、活動を進めるためには、具体的な組織や体制を整備する必要がありました。とくに、活動を成り立たせるためにはいわゆる「ヒト・モノ・カネ」（ほかにトコロ・シラセなど）が必要となりますが、プロジェクトのスタート時には一切アテはありませんでした。

まず「ヒト」の確保ですが、4月から学部財源でプログラムコーディネーター（その後、教育研究コーディネーターに改称）を一名、さらに12月に経理担当者を配置しました。また、相談や情報提供、データ管理などを行う部屋（トコロ）も必要でした。最初は、学部に設置されていたコミュニティサポートセンターに間借りする形でしたが、6月にキャンパス内に東日本大震災復興支援推進室（以下、「支援室」と言います）を確保することができました。

さらに、活動を継続的に進めるための財源（カネ）が必要となりますが、大きく分けて以下の3つの財源を確保するように努めました。その結果、現在では年間予算約3000万円を超える規模の活動が可能となっています。

①学部で用意できる財源：学部管轄経費・学部管轄人件費の一部を教授会の承認を得て、充当する。さらに、教員や卒業生からの寄付を募る（約900万円）。

②大学が用意してくれる財源：学内の競争的資金（研究や教育の充実のための学内資金）、大学が設置した震災支援用資金（各学部等によって行われる独自の復興支援活動を支援するための資金）を獲得する（約1600万円）。

③外部の助成金：赤い羽根共同募金や企業等による震災復興支援活動への助成資金を獲得する（約600万円）。さらに外部団体からは、資金だけでなく、自転車や雨合羽、中古自動車などの物品も寄付していただいている。

一方、支出の内訳としては、宿泊・交通費助成：約1400万円、人件費：約1300万円、その他事業費400万円となっています（数字はいずれも2015年度予算）。

また、活動を広めるための広報（シラセ）として、ホームページやメーリングリストの活用を始め、活動報告会、ワークショップ、講演会などを企画し、学生への周知に努めています。さらに2013年度からは全学共通カリキュラム（以下、「全カリ」と言います）に、プロジェクト関連の授業を開講し、活動でお世話になった方をゲストスピーカーとしてお呼びし、学生が震災に関わることの意味を考えてもらう授業を展開しています。

以上の活動資源はすぐに全て用意できたわけではありませんが、必要に応じて知恵を出しながら、情報を集めながら対応してきました。そのためにも、活動をマネジメントするコーディネーターの活動が重要でした。

7拠点＋学生支援局の活動に

一方、活動を推進する体制として、図2のようなイメージ図を作成し、各拠点で、それぞれ取り組みを始めました。

その結果、7月末から石巻市、8月末には気仙沼（大島）、南三陸町、11月に陸前高田市での活動が

立教大学コミュニティ福祉学部「東日本大震災復興支援推進プロジェクト」　支援体制図（案）

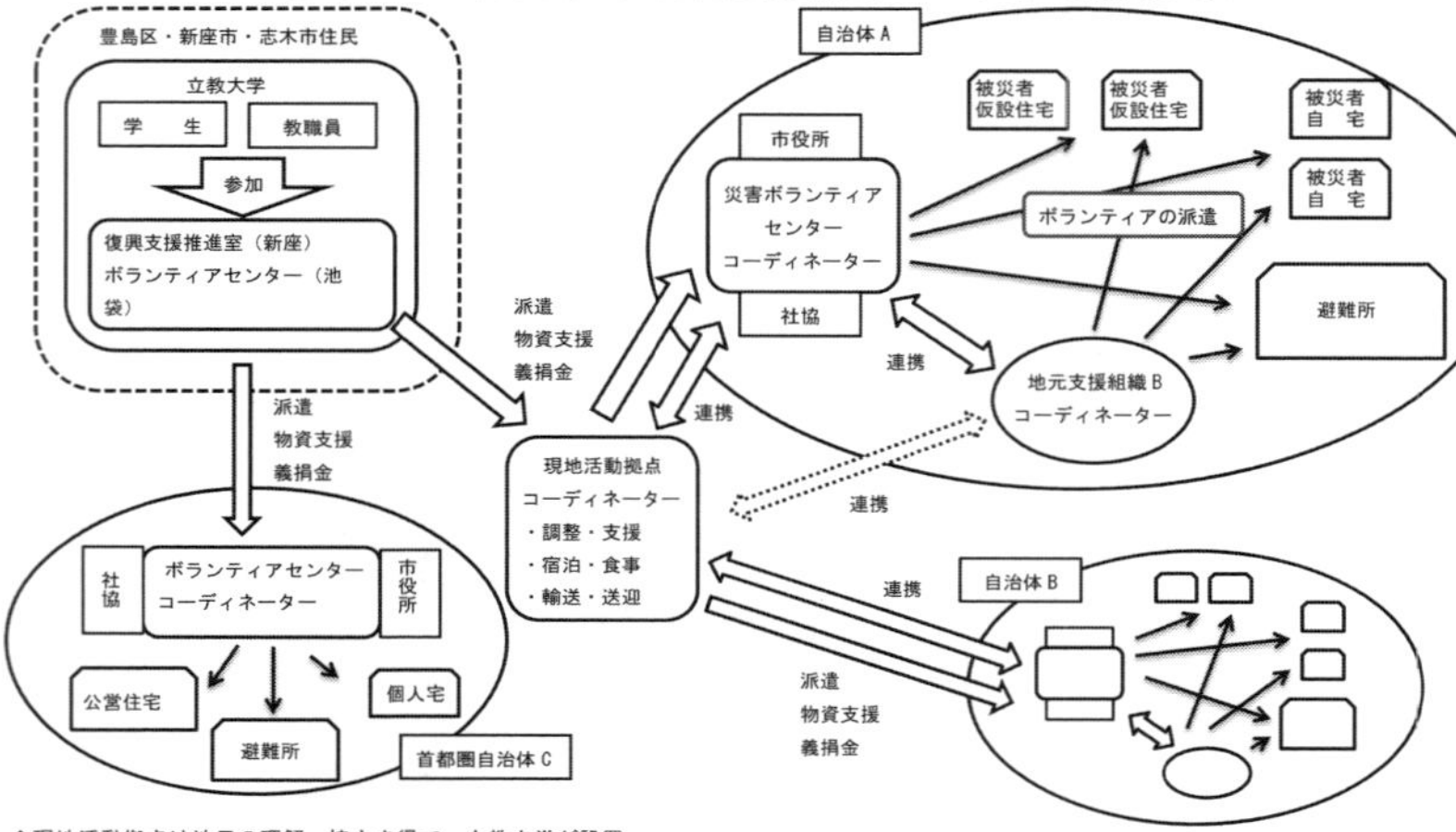

◆現地活動拠点は地元の理解・協力を得て、立教大学が設置
◆現地活動拠点のコーディネーターは原則として現地採用を予定

始まりました。また、加須市、練馬区、新宿区などでも避難者支援の活動を徐々に始めていきました。一方、福島県内の被災地は、放射線量の関係で保護者の同意が得にくい実情があり、活動できない時期が続きましたが、２０１３年末頃からいわき市及び双葉町（いわき市内）が活動先に加わり、ほぼ同じ頃に、東久留米市も活動先として加わり、現在に至っています。

　また、忘れてはならない事柄として、プロジェクトの活動に呼応したように、２０１１年６月に学生による自主的な組織である学生支援局Ｔｈｒｅｅ―Ｓ（Support Station by Students）が結成されたことがあります。こＴｈｒｅｅ―Ｓは、プロジェクトを支える重要な役割を担っていると言えます。

　その結果、これまでの活動回数２３０回、延べ参加者数約２８６０名を数えています。

復興支援を支援する　東日本大震災復興支援推進室

岡　博大
コミュニティ福祉学部
東日本大震災復興支援推進室 次長
教育研究コーディネーター

立教大学コミュニティ福祉学部は、「東日本大震災復興支援プロジェクト」を2011年4月に立ち上げました。その活動を支える事務局として設置された専門部署が、「東日本大震災復興支援推進室」（以下、復興支援室）です。

以来、約5年間に計230回の復興支援活動を実施し、学生・教職員スタッフの参加者数は、のべ約2860人という規模に成長しました（2016年2月末現在）。ただし、その航海は必ずしも順風満帆なものではありませんでした。

ある意味では、復興支援はだれでも始めることができます。しかし継続することは難しい、という現実を、いままさに実感しています。「復興支援を支援する」役割も必要なのです。本プロジェクトは、なぜ5年間活動を続けることができたのか。その秘訣は、支援を支える体制づくりの重要性に早くから気づき、人材・場所・資金などを整えてきたことがあったからだと思います。

長引く復興の過程の中で、いかにチームとして活動を継続してきたのか。以下、Q&Aを交えながら、復興支援室の運営体制や成果、課題など、試行錯誤の歩みを紹介します。

AQ11 復興支援室では何をしているの？

ひと言でいえば、「復興支援活動の支援」です。支援活動に参加する学生や教職員スタッフを支える裏方、縁の下の力持ちです。

具体的には、現地7拠点（陸前高田、気仙沼・大島、南三陸、石巻、いわき、新宿、東久留米）で展開している支援活動の企画や、現地住民・連携団体との事前調整、参加学生の募集と現地引率、事前ガイダンスや振り返りミーティングの実施、復興支援関連イベントの企画運営、助成金の申請・報告、活動成果の発信と継承の取り組み、大学教育や社会への還元活動などを行っています。

復興支援室には、誰でも立ち寄れるオープンスペースがあり、毎日多くの学生たちが集い、交流し、相談し合う姿が見受けられます。現在、参加者の4割以上がコミュニティ福祉学部以外の学部生となっています。全学部生に門戸は開かれており、単なる一学部の活動ではなく、全学的な支援活動へと発展しています。

復興支援室では、東日本大震災で被災された方々が存在する場所をすべて「現地」「現場」と捉えています。長期化する復興への歩みは道半ば。学生と教職員スタッフが一体となって現地へ足を運び、被災された方々と被災地の復興に、細く長く寄り添う伴走型の支援活動を継続しています。

AQ22 運営体制は？

立教大学コミュニティ福祉学部の中に、東日本大震災復興支援プロジェクトがあり、そのメンバーとして、コミュニティ福祉の専門家である教員をはじめ、復興支援室の職員、スタッフら計約20人が所属しています。

運営体制

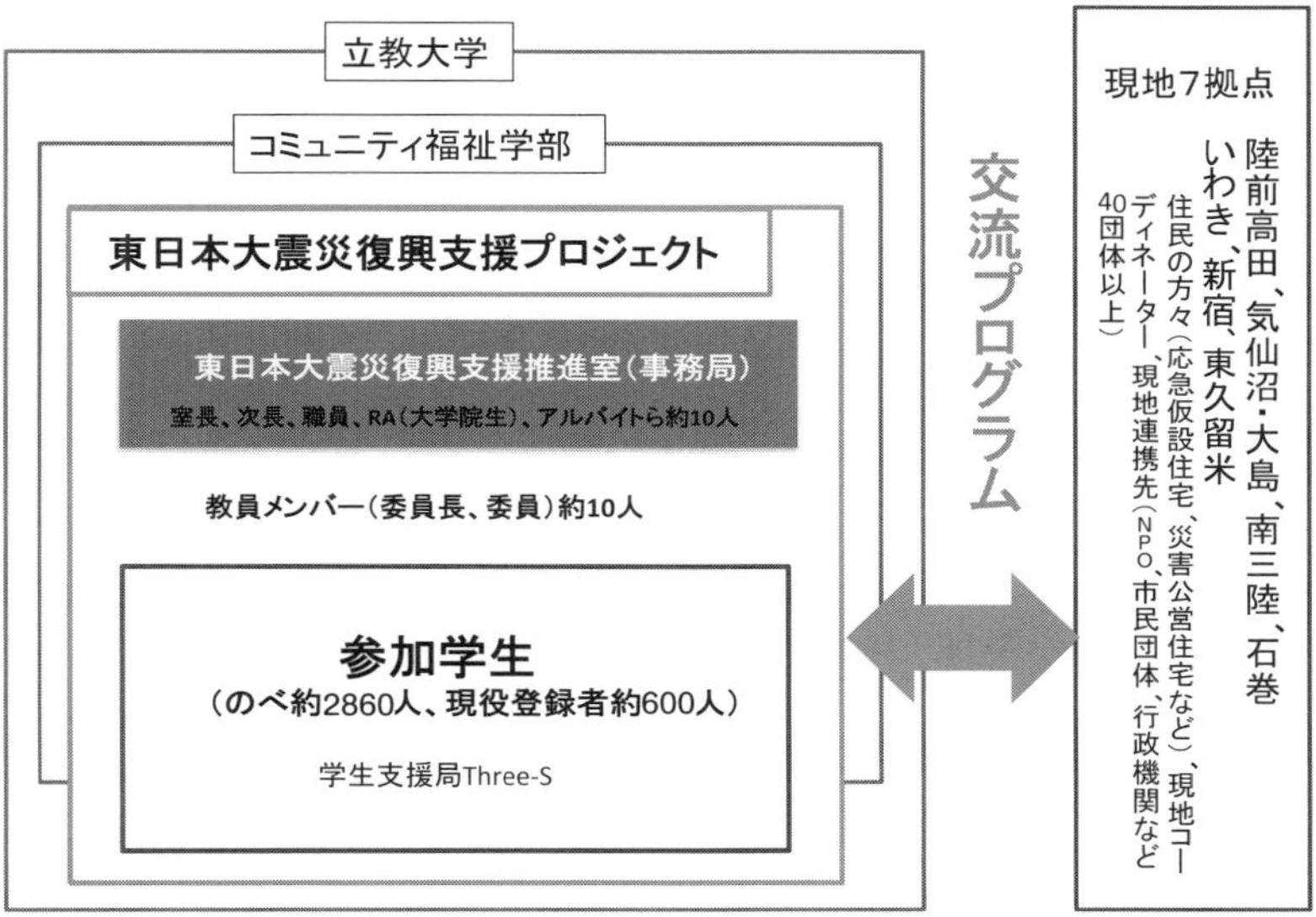

復興支援室は、本プロジェクトを支える事務局として位置づけられており、約10人の教職員スタッフが所属しています。室長はプロジェクト委員長の教授が兼任し、次長が復興支援室の運営をコーディネートしています。そのほか、会計兼庶務を担当する職員や、参加学生の現地引率などを担当する職員・大学院生・アルバイトスタッフらがいます。

常態的に復興支援活動を実施するための専門部署をしっかりと用意することで、学生・教職員が活動に専念できる環境を整えています。

Q33 どのようなスタッフがいるの？

A33 スタッフには多種多様な人々がいます。RA（リサーチ・アシスタント）と呼ばれる大学院生をはじめ、映画作家兼NPO代表、主婦、ダンサー、俳優など。立場も、大学職員、アルバイトと様々です。いろいろなバックグラウンドを持

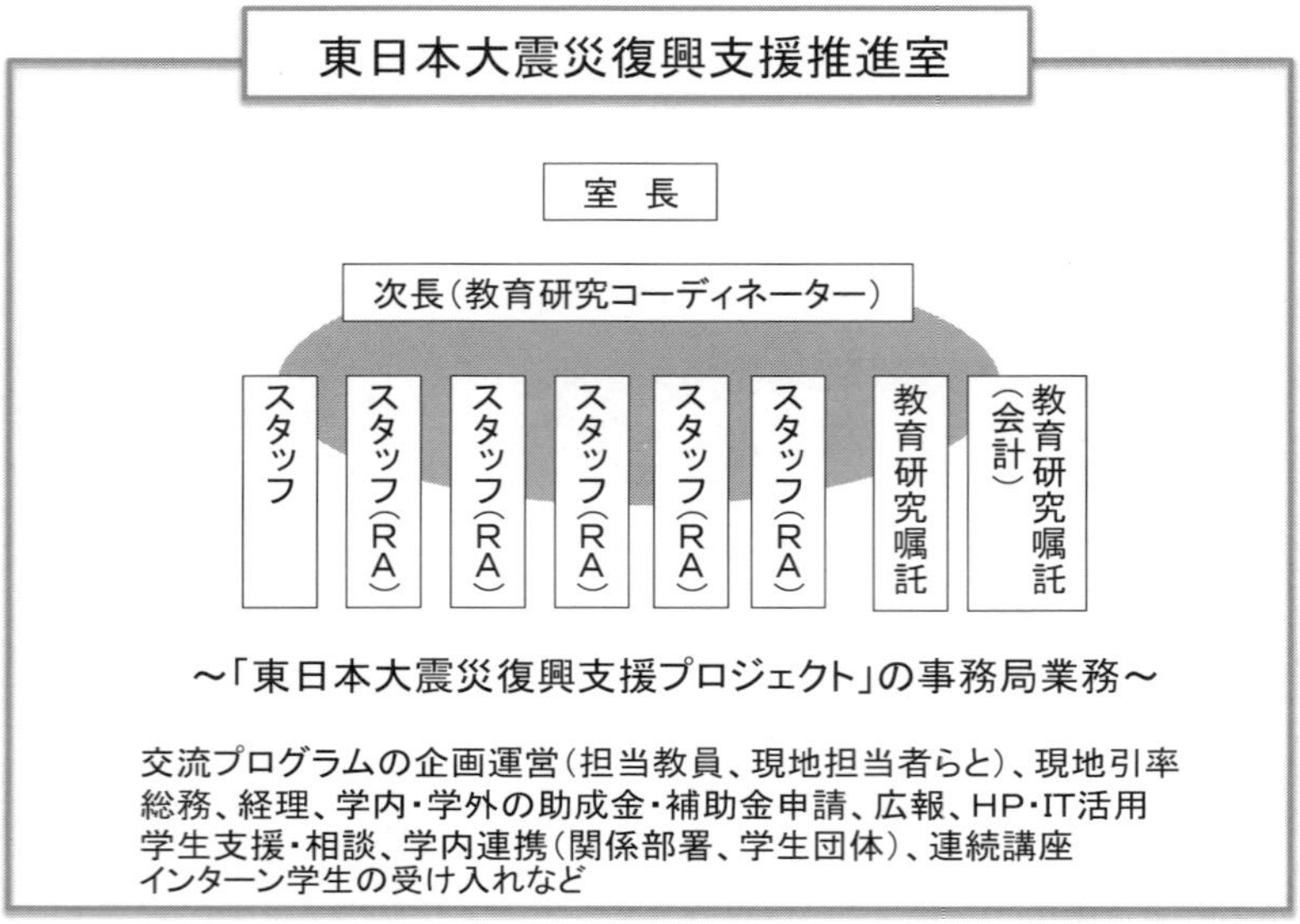

ったスタッフがいることで、組織に多様性が生まれ、参加学生をサポートしたり、現地の方々と交流したりする際も、柔軟性をもって対応することができています。

Q4 資金繰りはどうしていますか？

A4 復興支援を継続するためには、資金は重要な要素のひとつです。本プロジェクトの予算は例年３０００万円前後で推移しており、２０１５年度予算では約２８３０万円。中規模のＮＰＯ一団体くらいの規模があります。

収入は、２０１５年度予算で見ると、学内資金が86%、学外資金（民間助成金等）が14%となっています。学内資金の内訳は、大学予算が60%、学部予算は26%となっています。コミュニティ福祉学部以外の参加学生が４割以上を占めるなど、全学的な活動に発展してきており、多様な財源を組み合わせて運営しています。

支出は、２０１４年度決算で見ると、もっとも大きな割合が、復興支援活動に参加する学生への旅費補助で37％を占めています。活動を継続するには、参加学生への金銭的サポートも欠かせません。その他、事務経費37％、復興支援室スタッフの人件費26％となっています。

AQ5 どのような学生が参加しているの？

それこそ多種多様ですが、一番多いタイプは、震災以降、何か自分にできればと思っていたが、きっかけと方法が分からずに、今まで行動できなかった人です。学生時代に一度は復興支援活動で東北を訪れたいと思っていた人、友人の誘いで何となく参加した人などもいます。一度活動に参加すると、東北の風土や食、人の魅力を知って、リピーターとなり、何十回も参加するレジェンド学生もいます。

復興支援活動に参加している立教生の中には、比較的のんびりした学生が多く、在学中に視野を拡げて、人間としての幅、将来の可能性を広げることを目指している学生が多いように感じます。卒業後の進路としては、大学院への進学をはじめ、ＮＰＯ、社会福祉・観光・教育・金融業界への就職が多いようです。

AQ6 復興支援活動への参加費用はどのくらいかかるの？

本プロジェクトでは、東北（遠方）で支援活動をする際、参加学生に旅費を補助しています。初参加者の学生には、交通費の半額と宿泊費の75％を、リピーターの学生には交通費・宿泊費ともに75％を補助する、というルールを設けています。補助の結果、学生の実質の参加費は８０００円～１万５０００円前後となっています。地元自治体等から補助がでた場合、無料で参加できる活動もあります。

基本的に、学生は鉄道やバスを使って東北に赴き、現地では交通手段が不便なため、レンタカーやタクシーに相乗りをして移動する場合が多くなっています。実施日は、授業のない週末土日を使った1泊2日が基本ですが、春、夏、冬の長期休暇中は、2泊3日で活動しています。

Q7 参加の流れは？

A7 学生はまず、復興支援室のメーリングリストに登録した上で、メールニュースで随時、最新の支援活動の募集情報を受け取ります。その中に、興味のあるプログラムがあれば、参加申し込みをします。支援活動へ赴く前にはガイダンスがあり、事前学習や準備をしっかりと行います。その上で、現地を訪れ、実際に支援活動に臨みます。活動終了後は、大学で振り返りミーティングを行い、復興支援活動の成果と課題を確認します。そして、より深化した活動へとつないでいきます。

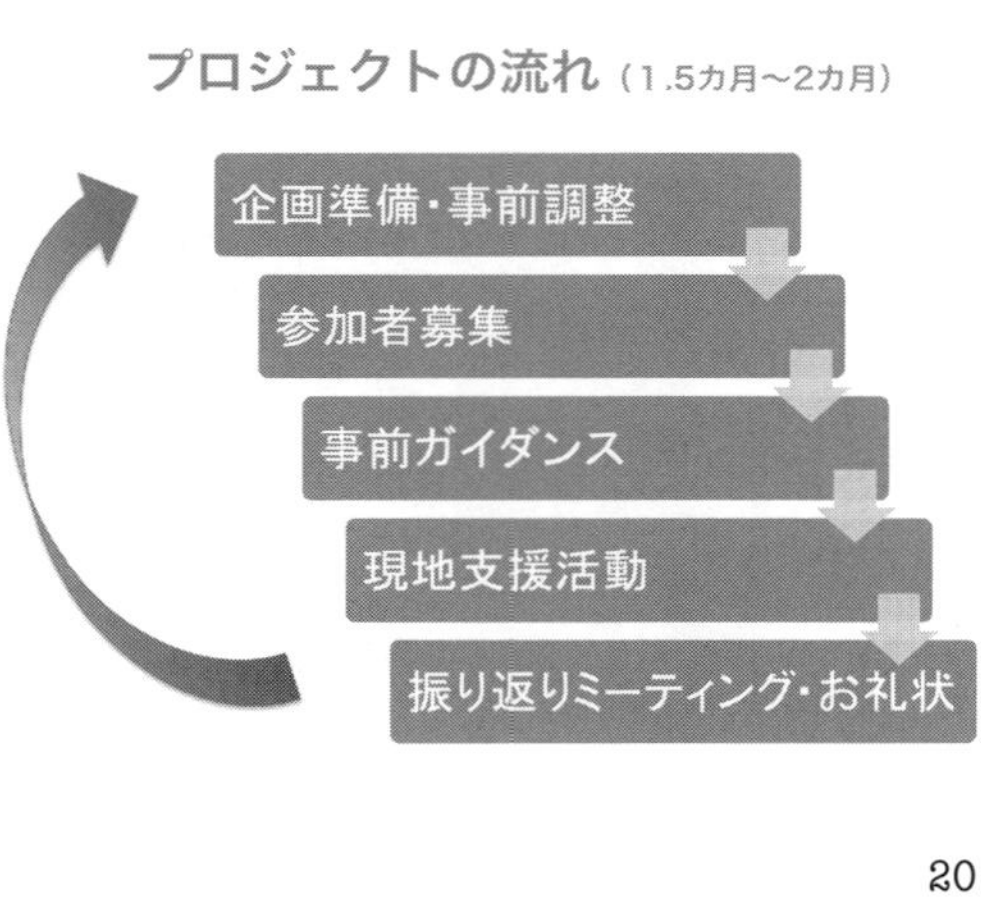

Q8 支援活動に特徴はありますか？

A8 「交流支援」に特化しているところが特徴です。がれきの撤去や公共インフラの整備といったハード面の復興支援ではなく、応急仮設住宅や災害（復興）公営住宅でのコミュニティ支援など、心の復興に寄与するソフト面の復興支援に特化しています。詳細は各拠点の活動紹介ページに任せますが、

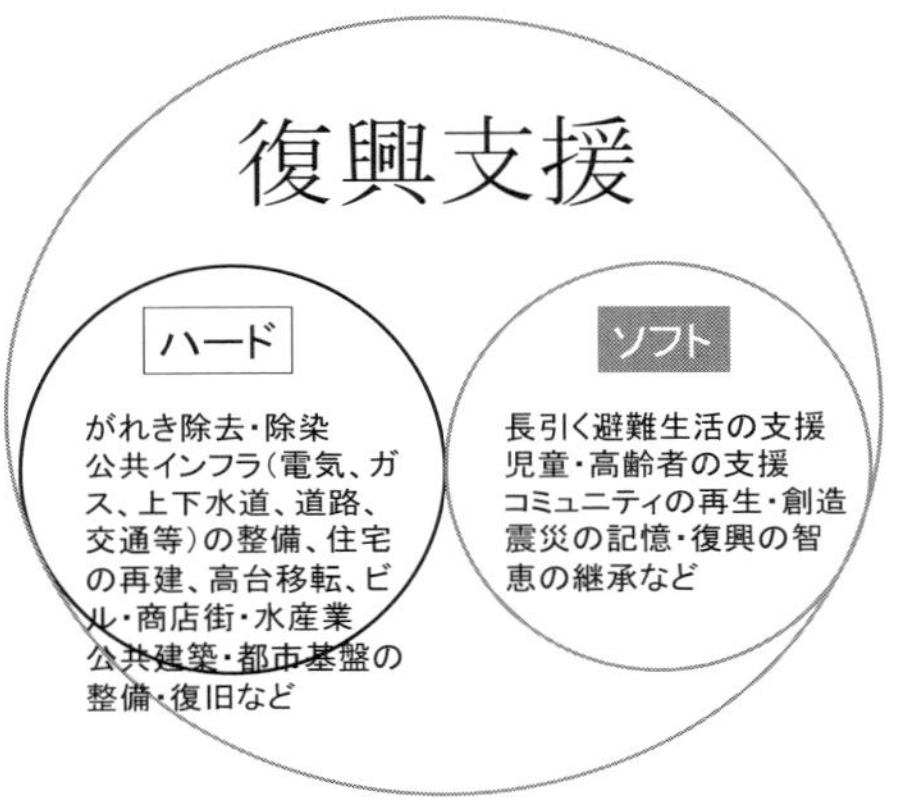
復興支援
ハード
がれき除去・除染
公共インフラ（電気、ガス、上下水道、道路、交通等）の整備、住宅の再建、高台移転、ビル・商店街・水産業
公共建築・都市基盤の整備・復旧など
ソフト
長引く避難生活の支援
児童・高齢者の支援
コミュニティの再生・創造
震災の記憶・復興の智恵の継承など

すべての拠点で「交流プログラム」を実施しています。

交流プログラムとは、住民との「交流」に重きを置いた復興支援活動です。具体的には、仮設住宅や災害（復興）公営住宅での交流会・レクリエーションの企画運営、地域の行事（運動会、マラソン大会、夏祭り、クリスマス会など）のサポート、子どもたちへの学習支援、震災の記憶の風化を防ぐために現地の被災・復興状況の定点観測などを行っています。

従来の「支援する」「支援される」といった一方向的なボランティアの関係性を超えて、現地の住民の方々や団体と連携した復興支援活動を展開しています。

Q99　5年間の活動の成果は？

A99　復興への歩みは道半ば。まだまだ東北被災地は復興の途上にあります。決して成果を声高に言える段階ではありませんが、まったくの成果ゼロでもありません。

（1）復興の過程に5年間〝伴走〟したこと

成果として一つ確実に言えることは、5年間試行錯誤はしつつも、被災された方々に寄り添い、復興の過程に伴走し続けることができたことが挙げられます。そして、交流している住民の方々の中に、笑顔が生まれていた、という事実があります。現地住民の方々から共通して耳にしたことは、「若者、学生が被災地のことを忘れずに来てくれるだけでも、私たちはうれしい。また来てね」という言葉です。現地に行くこと、通い続けること、交流をするだけでも、立派な復興支援活動であると言えるでしょう。

（2）学生やスタッフの成長

参加学生とスタッフの成長を目の当たりにしています。つい1年程前に頼りなくおどおどしていた学生でも、支援活動を通じて成長し、現地のお年寄りや子どもたちと自然体で交流し、信頼関係を築き、自主性を持って行動できるようになる姿を何人も見てきました。

活動経験を生かして、卒業後、ＮＰＯ法人や社会福祉法人などに就職する学生も出ています。現地連携先の介護事業所に就職して、逆に学生の受け入れ側の立場になってくれた復興支援室ＯＧもいます。卒業後、就職浪人をしながらも支援活動に参加し続けた結果、希望の小学校の教員に内定が決まった女子学生もいます。

（3）大学教育への還元

現地連携先のキーパーソンを毎週、大学の授業へゲストスピーカーとしてお招きする、全学部共通の正課授業も開設しました。現地の生の声を学生に届けることで、復興のいまを絶えず把握するとともに、復興の智恵を学んでいます。そして、震災前から日本社会が構造的に抱えていた少子高齢化や過疎化などの課題解決へのヒントも探っています。インターン学生の受け入れも行っています。

（4）震災の記憶の風化防止

２０１１年の震災発生当時、中学生だった者や、西日本出身の学生もいます。震災は過去の出来事で、他人事のように感じてしまう世代もいます。右記３つの成果を通じて、結果として、学生の震災の記憶の風化防止にも貢献しています。

Q10 課題についても教えてください

震災直後は、勢いだけでも支援活動をすることはできました。現地へ行けば、まだがれきがあり、避難所や仮設住宅には多くの住民の方々がいて、分かりやすい復興支援の姿がありました。

しかし、震災から5年が経ち、現地の見た目は一見、日常を取り戻しつつあります。震災遺構以外は、津波の爪痕を探すことは困難になってきました。沿岸部ではかさ上げ工事が進み、新たなまちづくりが始まろうとしています。仮設住宅から災害（復興）公営住宅への移転も進み始めました。

一方で、仮設住宅に取り残された住民の方々や、故郷に戻れず広域避難生活を続ける福島県民の方々も大勢残っています。以下、震災5年目を迎え、本プロジェクトが抱えている課題を紹介します。

（1）復興のフェーズの変化への対応

支援の現場は、避難所から仮設住宅、そして災害（復興）公営住宅へと、徐々に変化していきました。それに伴い、支援のニーズも、「復旧」から「復興」、そして「地域支援」（その地域が震災前から抱えていた課題への対応）へと移りつつあります。

当初原則2年の入居とされた仮設住宅には、いまだ数多くの住民の方々が取り残されており、岩手、宮城、福島の3県とも、既に2017年までの延長を決めています。仮設住宅では若い世帯から退居が進み、過疎化、高齢化が急速に進んでいます。災害（復興）公営住宅では、戸建て住宅とは異なる慣れない住環境で、孤立している人々もいます。かさ上げ後のまちづくりも端緒に付いたばかり。故郷に帰れずに広域避難を続ける福島県民の方々もいます。

刻一刻と復興ニーズには変化が生じています。いかに現場のニーズをくみとり、柔軟に支援活動に反映させていくか、本プロジェクトでは、絶えず現地住民の方々やＮＰＯ、連携団体と相談しながら、交流プログラムを企画運営しています。

（２）資金繰り

復興支援活動に対する外部助成金は、徐々に減少傾向にあります。しかし、関東から東北に支援活動に通うには、旅費も多くかかります。限られた資金でいかに活動を継続させていくか、今後は活動規模の集約や見直しも求められています。

（３）震災の記憶の風化への対応

時が経つにつれて、学生の中には、震災の記憶の風化が既に始まっています。復興支援活動に参加し、継続するモチベーションも、震災発生当時を知る参加学生とは自然と異なってきます。震災発生時に中学生だったような、新たな世代の学生にも、復興のいまを伝え、震災の記憶を継承する必要性に迫られています。

勢いだけで復興支援活動が続けられる時期は終わりました。これからは、いかにマイペースで、無理なく継続できるか、まずは支援をしている自分たち自身の足元を真摯に見つめ、支援する側のコミュニティづくりも求められています。

学生の意識を喚起するために、復興支援室では、「連続講座」と呼ばれる復興支援活動について学ぶ場や、「復興支援トークＬＩＶＥ」という学生の体験談を紹介する会などを定期的に学内で主催しています。

「復興支援フェス」という外部からトークゲストをお招きするシンポジウムでは、２０１５年11月に、ＮＨＫの復興支援ソング「花は咲く」のプロジェクトを立ち上げた長野真一さん（現ＮＨＫエデュケーショナル）を招待。名曲誕生の舞台裏と、試行錯誤のプロジェクトの運営方法などを参考にお聞きしました。

（４）「支援する側のコミュニティ」づくり

本プロジェクトは、学生だけでも教職員だけでもなく、学生と教職員スタッフ皆が連携して支援活動に取り組んでいる点が特徴として挙げられます。この点は、学生の若さと行動力、教員のコミュニティ福祉に関する専門性、職員のサポート力を生かすことができる利点があります。プロジェクト内に多様な視点が生まれ、柔軟な対応力も生まれます。

一方で、まとまりがなくなるという難点もあります。復興あるいは復興支援活動のあり方については、様々な考え方があります。参加者の立場が増えれば増えるほど、時には意見の相違、対立も起こります。絶えず、お互いを尊重して、支援する側のコミュニティづくりにも目配りすることができるかが問われています。

復興支援室では、学生が気軽に立ち寄りやすい空間づくりのため、たまり場を設けたレイアウトに変更しました。結果、復興支援に関わらないことでも、就職や恋愛、卒論の相談に訪れる学生もいます。学生と教職員スタッフの交流のために、トークイベントやシンポジウム、パネル展、忘年会などの交流会も随時共催しています。復興支援室は、支援する側のコミュニティづくりにも取り組んでいます。

（５）人材確保

大学は、基本的に新入生が必ず入ってくるので、新たな参加者を絶えず募集できます。しかし、その参加学生らも、いずれは卒業していきます。先輩から後輩へ、支援活動の成果と課題の〝バトン〟をいかにつないでいくか、常に次の人材の育成と確保に迫られています。震災発生から時が経つに連れて、復興支援活動の経験とノウハウの共有、引き継ぎをしっかりとする必要性が出てきています。

（6）社会への発信と還元

ともすると、これまでは復興支援活動を継続することだけで手一杯で、その成果や課題を、お世話になっている方々や社会に発信し、還元していく点が疎かになっていました。震災5年目を迎え、これまでに復興支援活動を通じて培った経験、ノウハウ、学びを、自分たちだけで抱えているのではなく、社会へ還元していくことを目指しています。この書籍の出版も、その試みのひとつです。

復興とは何か

震災5年を機に出版をするにあたって、「復興とは何か」という根本的なテーマを愚直に考えてみたいと思いました。

復興支援とは、「復興」を支援する活動です。肝心の「復興」像について、ある程度のビジョン、考え方の共有がなければ、チームにまとまりは生まれません。たとえ明快な答えが出ないとしても、「何が復興か」という本質から目を背けず、仲間同士で絶えず意見を交換し、問い直していくプロセス自体が重要です。

東北に何十回となく通い、現地の様々な住民や連携団体の方々と交流して気付いたことは、立場や表現こそ違えど、同じ事を言っているのではないか、という場面がよくあったことです。つまり、違いを超えて、皆で共有できる復興像や復興の智恵といったものも存在するのではないかということです。復興の過程にある今だからこそ、支援活動の成果を社会へ還元し、現在進行形の復興へ貢献できることもあると思います。

つい先日、福島第一原発事故の影響で強制避難をしている双葉町民を支える社会福祉協議会の職員の方から、このようなお話をいただきました。

「何が復興なのか、正直私たちにも分からない。これから何を目指していったら良いのか、どのような支援が求められているのか、震災5年目を迎える今だからこそ、むしろ新鮮な眼で、立教の皆さんに提案してもらいたい。自己満足に陥らず、支援の成果を皆に伝えて共有してほしい」

復興の智恵を学ぶ

様々な現地住民の方々の意見、復興支援関係者、教職員スタッフ、学生らの声を総合してみると、おぼろげながらも浮かび上がってきた復興像があります（次ページの図を参照）。

復興には、「ハードの復興」と「心の復興」があり、それぞれに「復旧」（原状復帰）と、「復興」（さらなる発展）のレベルがある。復興の先には、その地域が震災前から抱えていた課題（少子高齢化や過疎化、雇用問題など）があり、自然と「地域支援」「地方創生」といった取り組みにもつながってくる。

理想的には、ハードの復興も心の復興も進んだ「1」のゾーンに至ることですが、興味深いのは、ハ

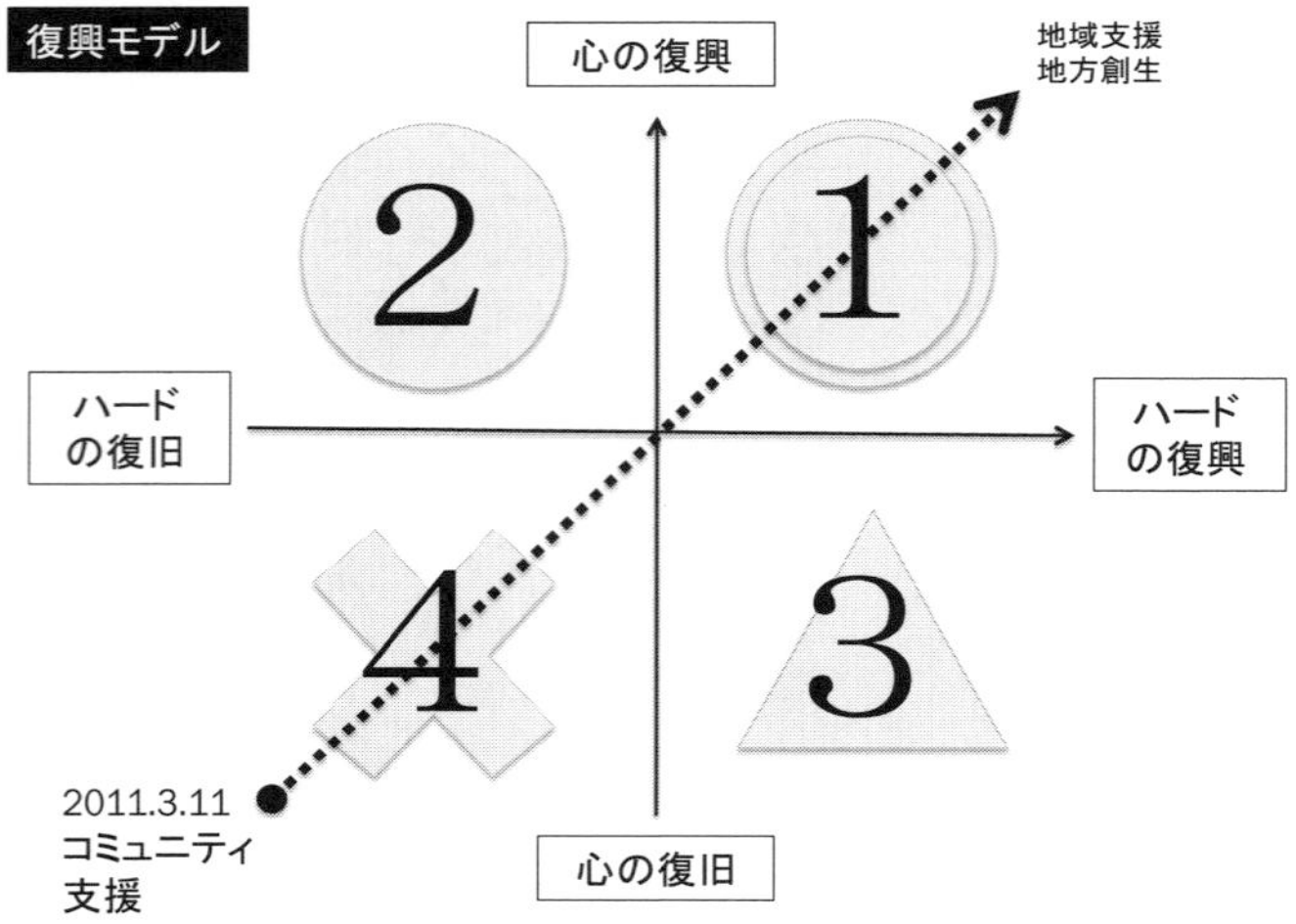

ードの復興はそれほど進んでいなくても、心の復興に至っている「2」のゾーンの人々も数多くいたことです。仮設住宅に暮らしていても、遠く故郷から離れて避難生活を送っていても、親しい家族を亡くしていてもです。

そんなことがなぜ可能だったのでしょうか。以下、僅かですが、ぼくが学んだ復興の智恵を参考にご紹介します。

1、「感謝して生きる」

東北被災地を巡っていると、あちこちに、「ありがとう」「感謝」といった看板や垂れ幕が置いてあることに気づきました。岩手、宮城、福島で同時発生的に生まれた現象でした。映像に撮りためていると、5年間でその数は50近くになりました。

わたしたちは、どうしても物事に批判的な考えを持ちます。不満を持ち、悲観もします。他人や行政、国を責めたくなります。しかし日常の中で、大らかに感謝するこころ、人の良いところを発見し、ありがたいと感謝して生きる力が、必要だと学びました。

2、「復興のプロセスの中にも復興がある」

人生が一日一日の積み重ねで、生きる過程そのものが人生であるように、復興もそのプロセスの中に既に存在しているはずです。日常の小さな復興（幸せ）に気付くことが重要です。

今回の震災の被害は広範囲に及び、福島は原発事故の影響も抱えています。復興への歩みは長時間を要します。復興が遠い先のことだとすると、いつまで経っても復興は手の届かない、夢物語に終わってしまいます。しかし、誠実に明るく生きている現地の方々に共通していたことは、復興のプロセスの中に、小さな復興を見つける力がある、ということです。感謝する力もその一つです。

また、復興支援活動を継続していて気づいたことは、一方向的に行う支援ではなく、ともに何かを行う、復興のプロセスを共有する支援を行った時に、より関係性が深まったという成功例が多くあります。例えば、いわきの活動では、薄磯地区のお祭りや、災害公営住宅（団地）の植樹や夏祭り、映画上映会、いわき大交流フェスタなどのイベントを、地元住民やＮＰＯみんぷくの方々と企画して運営しています。

まちづくりやコミュニティづくりを共に行うことで、関係性が築かれ、復興が進んでいく。笑顔が増えていく。プロセスの中にこそ、復興があると言っても良いと感じています。人は、何かをともに体験することで、関係性が深まる、活動を継続できる、そして成長もできる。住民の方々の笑顔も増える、という発見をしました。

ぼくは、東北へ通って活動はしていますが、復興支援をしている、という感覚は余りありません。単

復興支援モデル

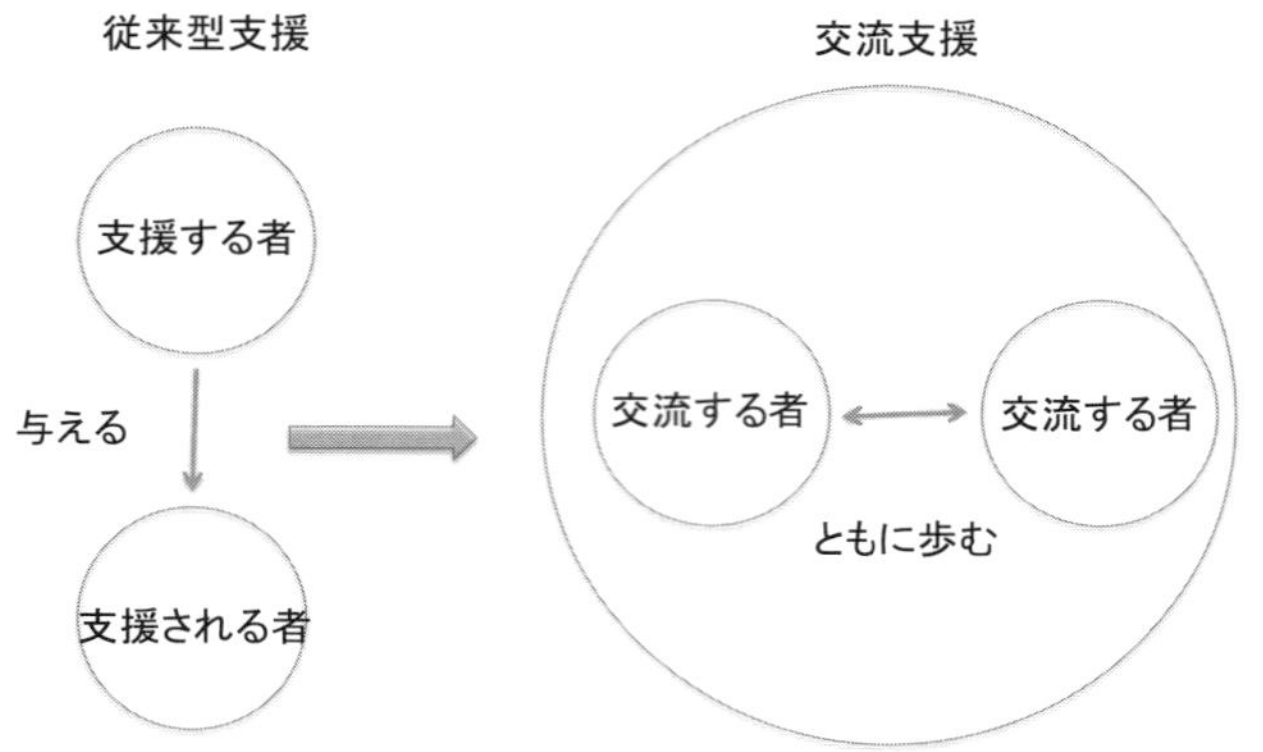

純に、震災を機に出会った、東北の素朴で誠実な方々にまた会いたい、変化に富んだ風光明媚な土地を再び訪れたい、という気持ちだけがあります。その上で、結果として、地元の皆さんから復興の知恵を学び、社会へ伝え、後世へ継承することができれば、という思いはあります。

　復興支援を支援する立場として、いまぼくは、学ぶ復興支援もありだなと強く感じています。支援をする、支援をされる、といった一方向的な関係ではなく、ともに復興のプロセスを歩み、復興の智恵を学ぶ。あれこれ悩み、思いわずらうのではなく、とにかく無心で現場へ足を運び、フエイス・トゥ・フェイスで顔を合わせてみる。そのような学ぶ復興支援であれば、だれでも肩肘張らず、身構えないで、もっと気軽に参加して、継続することができるのではないでしょうか。

　復興は他人事ではありません。心の復興が必要なのは、私たち自身でもあると強く感じます。復興とは、人間が学びを得ていくプロセスそのものなのかも知れません。復興支援活動を通じて、人生の先輩たちから学ぶ。逆に癒される。学ぶ復興支援もあって良いと思います。

「あなたにとって、復興とは？」

宮城県南三陸町「さんさん商店街」季節料理「志のや」店主　高橋修さん

「復興とは、安定した生活を取り戻すことだと思います。でも、自分の生活だけ良くなっても駄目。町全体が良くならないと。震災後、加速してしまった人口減少を食い止め、交流人口を増やしていきたい。福興市や『さんさん商店街』に全国から来てくれている方々に、常に『ありがとう』という気持ちを持って生きていきたい」

NPO法人3・11被災者を支援するいわき連絡協議会（みんぷく）遠藤宗広さん

「復興とは、若者が住める明るい街をつくること。次世代のコミュニティを維持すること。安心安全で元気な街をつくることだと思います」

福島県いわき市の薄磯団地（災害公営住宅）自治会長　大河内喜男さん

「復興とは、落ち込むことなく生きていけることだと思います。心も豊かになること。単に物資をもらったり、与えてもらったりするだけの復興支援では、いつまでも被災者意識が抜けない。交流を通じた支援、対話による支援がいま必要です。仮設から災害公営住宅に移っても終わりではない。街づくりはこれから始まります。若い人のエネルギー、アイデアが必要。災害はこれからも必ず起きる。災害をどう乗り越えていくのか、若い人たちに現地で見て体験して伝えていってほしい。それこそ、地方創生にもつながる復興支援だと思います。立教生は肩ひじ張らず、無心で現地に来てくれているのがいい。こちらも気が楽。対話をして相談をしながら、ともに復興の過程を歩んでいきたい」

福島県いわき市の南台応急仮設住宅で暮らす双葉町民の女性

「いまの暮らしの方が以前より幸せ。震災前は過疎地で自宅にいることが多かったので、普段寂しかった。今は仮設で友だちも沢山できたので、双葉には戻れなくてもいい気持ちもあります」

福島第一原発から首都圏に避難している双葉町民の元農家の女性

「私たちが生きている間に復興はないと思います。中間貯蔵施設もできるし、もう街には戻れない。でもこの前、一時帰宅でお墓参りに行くことができました。東京電力さんが、ぼうぼうだった草を刈って歩けるようにしてくれたんです」

復興支援室スタッフOB　下村功さん

「私が現地で出会った方々は、それぞれがこれからの生活、人生、地域社会をどう作っていくか模索されながら暮らされていました。そうした過程の一つ一つが復興なのだと思います。何が望まれる復興支援かは、個々の事情によって異なります。目の前の人のお話をしっかり聞くことが大切だと考えます」

復興支援室スタッフOB　新谷健介さん

「復興とは、震災前の生活に戻ることではなく、悩み傷付きながらも、新しい環境を少しずつでも受け入れ、進んでいく過程が復興だと思います。関わりを持ち続けることで、新しい環境を受け入れようと頑張っている人に寄り添うことが出来ます。また、私は現地に赴くことでたくさんの気付きや人の温かさを感じました。復興支援では、一方的な押し付けではなく、相互に得るものがある関わりであるということも重要であると思います」

「善きこと」の交換、分配、共有
——「コミュニティ支援」を概念から考える

権　安理
コミュニティ政策学科助教

立教大学が被災地を「支える・支援する」ことは、どのような意味を持ち得るのでしょうか。もちろん、〝被災地〟と一括りにはできませんし注(1)、支援室の活動も多様です。ですが、ここでは個々の活動や個々人の主観的な思いから少し離れて、「コミュニティ支援」という観点から、言葉や概念に着目して客観的に考えます。

「支援」を考える——支援、交流、交換

まず、「支援」という言葉から考えます。それは普通、「ある人や組織が、他の人や組織を助けること」と受けとられます。すると支援室の活動は、被災地を一方的に助けているのでしょうか。ですが活動をした学生は、「自分達がしてもらったことが多い」、「とても勉強になった」などと言います。被災地の方に助けてもらってもいるのです。では、この「支援しつつ、支援される関係」を、どのように考えれば良いのでしょうか。

ここでヒントになる言葉があります。「交流」という言葉です。支援室の活動名には、「○○交流プロ

グラム」のように、交流という言葉が含まれています。そして、交流を支援の主要な目的であると考えると、「支援しつつ、支援される関係」を上手く説明できます。支援室の活動は、交流することを通じて、そのような関係を構築しているのです。

ところで交流には、「行き来すること」という意味がありますが、それはしばしば親交や親睦という言葉を思い起こさせます。そのために交流は、「現地の方に元気をもらった」とか「子供達と遊んで楽しかった」という経験に示される、心のつながりや精神的な関係と見なされます。これは、とても貴重な体験です。ですが、この側面のみが重視されると、支援や交流がなんとなく温かみのある言葉（「絆」など）に乗って一人歩きする可能性もあります。では支援や交流には、何か他のことの「行き来」という意味は含まれないのでしょうか。

この点を考えるために、交流を隣接する他の言葉で言い換えてみましょう。一字だけ換えて、少しドライな印象を与える「交換」にしてみるのです。すると、興味深いことがわかると同時に、支援や交流を「コミュニティ」に関係させて考えることができるようになります。

「コミュニティ」を考える――コミュニティ内とコミュニティ間での交換

ここでまず、「コミュニティ」について考えます。コミュニティとは何でしょうか。例えばそれを、一定の地域を条件として成立する共同関係や組織であると考えることができます。そうすると、被災地も立教大学もコミュニティの一つとなります。では、そのコミュニティにおいては、何が行われているのでしょうか。

ある学者によると、コミュニティでは、「財（ｇｏｏｄｓ）」の「交換・分配」が行われています（Ｍ・ウォルツァー著・山口晃訳『正義の領分』而立書房、１９９９年）。例えば、被災地の方は現地のお店でお金を払ってモノを買い、学生は大学から教育というサーヴィスを購入しています。このような意味で、コミュニティでは「財」が交換されています。

ただし、「財」と言うと「金銭的なもの」を連想させますが、ｇｏｏｄにｓがついてるｇｏｏｄｓには、もう少し広い意味があると考えることができます。辞書でｇｏｏｄを調べてみましょう。名詞には「善、良い点、幸福、福利、価値」といった意味があります。ｇｏｏｄｓの交換は、お金や商品《グッズ》のみならず、人々が価値を認める様々な物事の分配や共有ということを含意し得るのです。

このような意味で、コミュニティは、多様な「財／善きこと（ｇｏｏｄ（ｓ））」が交換される共同関係なのです。そこでは時に、何が「財／善きこと」かについて意見が交換され、共有されることが目指されます。またこの点をふまえると、被災地は、東日本大震災によって著しい形で、「財／善きこと」の交換に不具合が起きているコミュニティであると言えます。財産、仕事、福利、幸福のイメージなどが、成員に行き届かなくなっているのです。

そしてもちろん、「財／善きこと」が交換されるのは、コミュニティの内部だけではありません。コミュニティの間でも、「財／善きこと」は交換されます。例えば、立教大学の学生が被災地に行くことや、被災地の方が大学に来ることは、一時的に人が交換されることを意味します。またそれに伴って、様々な「財／善きこと」が交換され得ます。

学生が被災地で購入したモノ。学生や教員が被災地の現状を知ることや、専門知識を被災地の方に伝えること。被災地の方が大学で講義をすること。学生が被災地の方々の親睦に一役買うこと。子供達への勉強支援やクリスマス会のお手伝い。これらは全て、立教大学と被災地の間で「財／善きこと」が交換、分配、共有されることに関係します。

「コミュニティ支援」を考える――まとめと結び

ただし、立教大学と被災地では、置かれている状況が全く違います。まただからこそ、「コミュニティ支援」ということが課題となります。では、支援とコミュニティが結びついたコミュニティ支援は、どのようなことを意味し得るのでしょうか。

この点を考えるために、被災地を「著しい形で『財／善きこと（ｇｏｏｄ（ｓ））』の交換に不具合が起きているコミュニティ」と定義したことを思い出しましょう。もちろん、立教大学にも、また大学が立地する新座市や豊島区にも様々な問題があります。ですが、日常生活を送るうえでは、被災地がより多くの困難を抱えています。また、常に大地震の危機に瀕する日本では、被災地は、他のコミュニティに（時間的に）先行して苦難に直面していると言えます。空間的にも時間的にも、コミュニティの間には格差があります。

このように、差が存在するコミュニティの間で「財／善きこと」が交換されることが、コミュニティ支援なのです。この場合、コミュニティ間での交換は、被災地での「財／善きこと」の交換（被災地の方々の親交促進から、福利の分配に至るまで）が上手くいくよう援助するために行われます。また、そうあるべきでしょう。このような意味で、交換は支援のために行われます。ですがやはり、支援はお互いのための交換でもあります。これは、どのようなことでしょうか。

ここで一旦、コミュニティ支援について まとめます。コミュニティ支援とは、次の二つのことを意味し、目指す活動です。第一に、コミュニティ間で「財／善きこと」を交換、分配し共有することです。第二に、それを通じて、コミュニティ内での「財／善きこと」の交換、分配、共有を活性化することです。支援室の活動は、被災地内のみならず、立教大学内での「財／善きこと」の交換にも関係します。そこには多くの関係者が係わっており、知識やお金も必要です。また、被災地支援の活動それ自体が、立教大学内の交換を活性化してもいます。このような意味で、支援は、お互いのコミュニティに有益な交換にもなり得ます。

つまりコミュニティ支援は、立教大学による被災地の支援を前提としながらも、被災地による大学(生)のサポート、両者の交流、両者間と両者内における「財／善きこと」の交換、分配、共有など、様々なことに係わる多様な関係を意味し得るのです。したがって、支援室の活動が、どのような意味での「財／善きこと」の交換に貢献できたのか、また今後できるのかを考え、(それぞれ状況が異なる個々の)被災地と共有していくことが重要です。

注(1) 状況が異なる被災した地域を、総じて〝被災地〟と呼ぶことには問題もあります。ここでは、「立教大学と各地域の関係の中に、何か共通していることはないのだろうか」という関心(思い)から考察しているために、被災地という総称を使用しています。

第 II 章

支える

交流する

学ぶ

つなぐ

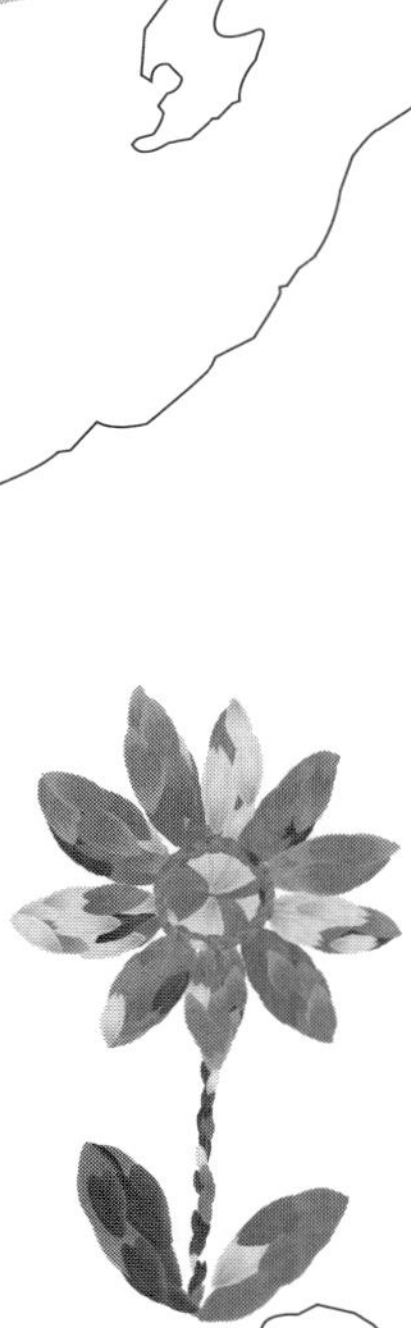

Ⅱ—1 気仙沼・大島交流プログラム（宮城県気仙沼市）

宮城県北東部の気仙沼市街地からフェリーで約25分に位置する気仙沼大島は、東北最大級の有人離島です。面積約9・05㎢、本土から近いので「接近型離島」に分類されており、海岸国立公園や海中公園に指定されています。北部にそびえる海抜235mの亀山からは全島が一望でき、その景色の美しさは、大島出身の詩人・水上不二の詩に「緑の真珠」と詠まれたほどです。2011年当時には、1121戸・3249人が暮らし、漁業や観光で栄える島でした。（気仙沼大島観光協会ホームページ参照）

しかし、東日本大震災が発生。津波の影響で、島は一時、南北に分断されます。気仙沼湾に流出した重油タンクから漏れた重油が、流された家屋の木材などに引火し、亀山では山火事が発生する事態に陥りました。フェリーは陸に乗り上げ、気仙沼湾はガレキに埋め尽くされ、移動手段も絶たれます。日中、気仙沼本土に仕事や用事で外出していた人は、島に帰る手段も情報もないなか、恐怖にさらされたといいます。自衛隊などの救助も物理的に時間を要し、島全体が「孤立」を余儀なくされたのです。

昭和8年の昭和三陸大津波、昭和35年のチリ沖津波、昭和43年の十勝沖津波、平成22年のチリ沖津波など、大島はこれまでも幾度となく津波被害に遭遇してきました。平成22年にも養殖施設は壊滅的に破壊されたのですが、ようやく復旧を果たしたのも束の間のことでした。東日本大震災の津波は、島の漁船、養殖イカダなどの漁業資材、漁協の事務所や集荷場まで流出させ、沿岸漁業は崩壊寸前になりました。フェリー乗り場に隣接し食堂やおみやげ店などで賑わっていた浦の浜商店街も津波で壊滅、津波に流された民宿や旅館は営業休止、山火事で亀山リフトは損傷し、観光業も大打撃を受けます。

島内にある学校は、小学校が１校・中学校が１校です。そのため、東日本大震災時には、小学校の体育館が避難所となり、その後、中学校の校庭には仮設住宅が建てられました（島内の仮設住宅は計３か所）。そのため、部活動の場所も限られ、小学校の校庭や体育館を小学生・中学生が共同で使ってきました。２０１６年2月時点でも、中学校の校庭には仮設住宅が存続しています。災害復興住宅の建設が予定よりも大幅に遅滞したためです。

大島の復興計画は、２０１８年度に完成が予定されている架橋事業と並行しながら検討が進められています。気仙沼大島は本土との交通機関が船舶のみであるため、かねてより「住民の日常生活に於ける利便性の向上や救急医療などの安全・安心の確保」「観光振興及び地域間交流を図る観点」からも架橋の整備を求める声があったといいます。東日本大震災による島民の長期間の孤立は、「大島架橋の必要性の再認識」の契機となり、平成30年度の完成を目標に事業が進められることになったのです。（宮城県ホームページ参照）

一方、大島の人口は、２７６６人（平成27年9月末現在）まで減少しています。人口の高齢化は進み、大島は数年後、65歳以上人口が50％になると予測されています。そのようななか、もし学校が統廃合されると、地域の活性化が失われていくのではないかと心配する声も聞かれます。いかに持続可能な地域社会を構築していけるのか、島民の皆様の想いや願いに寄り添いながら、私たちも新たなステージの活動を模索していく時期になっています。注(1)（**湯澤直美**）

出会いの軌跡・出逢いの奇跡

湯澤直美
コミュニティ福祉学部教授

2011年9月に始動した気仙沼大島との交流

２０１１年７月、コミュニティ福祉学部教員など５名で気仙沼大島を訪問しました。東日本大震災復興支援推進室としてどのような活動を担えるのか、様々な方にお会いし、お話を伺いました。ヒアリングによって、孤立し困窮状況に置かれている島の状況は把握されたものの、活動の拠点となる機関を見出すには困難が伴いました。そもそも社会資源が少ない立地条件のなか、震災による混乱は組織的な受入態勢の構築自体を難しくしていたためです。

そのようななか、立教大学と気仙沼大島の縁をつなぎ、交流の契機を創ってくださったのが、当時の大島小学校の校長であった菊田榮四郎先生、ＰＴＡ会長であった旅館「明海荘」の村上さんご夫妻でした。小学校の職員室で面会してくださった菊田先生は、ご自身も大島出身であること、大島の子どもや保護者の方々と休日を活用した活動をしたいと震災前より思っていたことなどを語ってくださり、連絡先を交換しました。この時はまだ、菊田先生ご自身が、大震災によりご自宅を失っていたことを、私たちは知らずにいました。３人のお子さんをもつ村上さんご夫妻は、震災後、大島の子どもたちが安心して学び遊べる場所もなく、心理的にも追い詰められている状況であることに心を痛めておられました。双方のお話を伺うなかで、教員は大学生が子どもたちに寄り添い交流する活動ができないか、と思い至ります。

東京に戻るための集合時間が近づいているなか、再度村上さんご夫妻を尋ねました。「子どもたちのために何か私たちにできることはないでしょうか」――その問いかけに、村上さんは「旅館の大広間を使っていいですよ。子どもたちに呼びかけて勉強会をしながら、心の交流をしてはどうでしょうか」と提案してくださいました。明海荘も津波の被害を受け、生活の激変が続いているなかでのご決断でした。そこには、震災前から、常に島の子どもたちに心をかけていたご夫妻の思いがあったのです。

こうして、学習支援と交流を通した子どもたちのエンパワーメントを目的として２０１１年9月に活動が始まります。スタッフ・教員間の話し合いで、「立教大学べんきょうお手伝い隊」と命名。多くの学生たちが参加してくれ、ほぼ毎月1回のペースで活動が定着していきます。小学校や児童館行事への参加、仮設住宅での高齢者の方々との交流会、地域行事を通した交流など、活動の幅を広げながら、２０１６年3月には第50期を迎えます。これまで延べ約６００人の学生が、気仙沼大島を訪ねています。子どもたちが寄せてくれた作文や学生からのメッセージを紹介しながら、４年半の歳月を振り返っていきたいと思います。

畳の大広間で始まった交流──島では珍しい存在の「大学生」

旅館の大広間で始まった「べんきょうお手伝い隊」。どのような様子で取り組まれているか、はじめに子どもの声から紹介しましょう。

※私がはじめて立教大学の方々が勉強をやっているのを知ったのは、学校のプリントで知りました。そのプリントを見て私は興味を持ち、勉強会に参加しました。私は、友達をさそって小学校5年生の頃から毎回のように行くようになりました。勉強でわからないところがあったらわかりやすく教えてもらい、家庭学習の問題も作ってもらいました。勉強の他にも外で一緒に遊んだりしました。毎回行っているうちに名前を覚えてもらったり、仲のいい方ができました。中学生になってからは、英単語を覚えるコツや歴史でその時代にあったことをわかりやすく教えてもらいました。テストが近い時には、「テストでここが出るかも」と教えてもらい、とてもためになりました（小松優衣）

※私は立教大学勉強お手伝い隊の勉強会に参加して、一緒に勉強したり、レクリエーションをすることが大好きです。私が初めて勉強会に参加したのは、小学校五年生の時でした。最初のころは、今のように楽しく勉強をすることはできず、一人で黙々と宿題をしていました。回数を重ねていくと、名前を覚えてもらったり、少しずつお話をしたりしたら、勉強会のはずなのに楽しくてずっとそこにいたいと思うようになりました。

昨年中学校に入学し、中学生になりました。勉強や、部活など苦労することが多くなりました。教科の先生に聞くことも多いですが、勉強会に参加して、分からないところを聞くと、答えや解説だけでなく、自分の勉強法やテストに出やすいところなども教えてくださるのでそれを参考にして勉強しています。部活動で苦労しているところを相談したりなど、学生生活などの話もたくさんします。

毎月、勉強会が楽しみで、前の勉強会が終った次の日くらいからそわそわしています。一緒に勉強したところがテストに出たりすると「ここ教えてもらった」と、うれしくなります。（小野寺未桜）

勉強会の合間には、レクリエーションや雑談の時間もたっぷりとりました。そのような時間にみせる子ども達の反応には、意外なものもありました。たとえば、髪の長い女子学生が椅子に座っていると、髪の毛を触って嬉しそうにしている小学生の女の子がいたのです。気仙沼大島には高校がなく、また、気仙沼市近辺には大学等がないため、10歳代後半から20歳代はじめの若者は珍しい存在です。少し年上のお姉さんが、憧れのアイドルグループに重なったようです。そんな待遇を受けた女子学生もまた、照れながら嬉しそうにしています。とにかく走り回り、男子学生に飛びつく小学生。ため込んでいたパワーを、ここぞとばかりに発散させているようでした。ちょっかいをだし続け、男子学生の周りを離れない中学生の男の子もいます。安心・安全なお兄さんをみつけて、弟分になったかのようでした。当時、大学生が提案したウインクゲームが子ども達に大流行。大広間の畳の上を自由に歩き周り、目と目が合ってウインクされたらアウトです。誰が最後まで残るか、みな飽きもせず何度も何度も繰り返します。島にはなかったゲームが「うけた」のですが、ドキドキしながら大笑いできる感覚のなか、時間を忘れられる空間でした。しかし、そのような子どもたちの笑顔の背後には、様々な思いも飛来していました。

開始当初の勉強会

※立教大学のみなさんとの出会いは、東日本大震災がきっかけでした。震災当初、小学校三年生だった私は、何人かの友達が転校していってさびしい思いをしていました。いつもとは違う毎日を送り、笑っていてもどこか不安で、悲しくなることもありました。→

そんな時、友達に誘われて参加した「立教大学べんきょうお手伝い隊」は、とても活動的でみなさんが優しくして下さり、私は心から楽しいと思えるようになっていきました。（菊田有笑）

一緒に学習する時間、遊ぶ時間、まったりする時間。さまざまな時間のなかで、ふと、子どもたちの気持ちが吐露される瞬間に出会います。何人かの小学生は、カバンに持ち歩いているミニアルバムを見せてくれました。10人強のお友達と先生が一緒に並んでいるクラスの記念写真のページを開き、「〇〇ちゃん、引っ越したからみんなで撮ったの」と小さな声で語ってきます。「また引っ越していったんだ」と、何度も写真を見せてくる子どももいました。大震災前には、大島小学校は全校生徒数が96人でしたが、現在では56人まで減少しています。少子化でそもそも少人数クラスであったなか、お友達はより距離が近くより親密な存在だったのです。

遊んでいるなかで、感情が激しくぶつかったり乱暴な行動が目立ったりする場面があったのもこの時期です。そこで、子どもたちとはなるべく1対1の関係をもてるよう、毎回10名〜15名程度の学生数で体制を組みましたが、「学生が足りない」と思うこともたびたびでした。

校長先生のコーディネートと「島の豊かな文化」との出逢い

新しい活動場所へ

第11期の活動から、大島小学校に会場を移して活動するようになります。当時の校長・菊田榮四郎先生と今後の活動について話し合うなか、小学校の入口付近にあるPTA会室と2階にある多目的室を使えるように計らってくださったのです。PTA会室は小学生に、多目的室は中高生にと、会場を分けることも出来ました。体育館や校庭も、部活や団体が使っていない場合には使用でき、活動の幅が広がりました。しかし、私たちが訪問するのは、土曜日・日曜日です。管理者である菊田先生の関与のもとで学校施設を使用するということは、菊田先生ご自身の休日を返上していただくことになってしまいます。「いいんですよ。立教さんが来ていようといまいと、私は大抵、学校にいますから」「子ども達には、できるだけいろいろな人と接する機会をもって欲しいと思っているんです」と、菊田先生は厭いもせず快諾してくださったのでした。

菊田榮四郎先生

「また見に来てね」

また、第13期からは、小学校の学校行事にも参加し、運営のお手伝いをさせていただくようになりました。従来、子ども達が役割分担しながら行事の運営に携わっていましたが、子ども数が減少するなかで人手不足が慢性化していったという実際上の問題もありました。しかし、単なるお手伝いというだけではなく、先生方からは、「小学生にとっての見本、夢を与える姿を見せて欲しい」という大学生への期待もこめられていました。いざ小学校の行事に参加すると、島の豊かな文化溢れる教育内容と先生方の熱意、そして子どもたちの学年を超えた絆に、大学生のほうが圧倒される連続でした。以下、菊田先生による行事の紹介を掲載します。

①砂の造形展・遠泳大会　大島小学校では、毎年8月下旬に全校での「砂の造形展・遠泳大会」が行われます。小田の浜で子どもたちと学生が語り合いながら、砂でイルカを作ったり、クジラを作ったりしてきました。一緒に作り上げる喜びを共有できたことはお互いに良かったと思います。残念ながら、遠泳大会は天候に左右されますので、震災後、まだ出来ていません。

②学習発表会　学習発表会では、学生が子どもたちと係活動を一緒に取り組みます。学生も一生懸命お手伝いしていました。学生の皆さんには、子どもたちにたくさん声をかけるようにアドバイスしました。励ましの言葉は誰でも嬉しいのです。「がんばったね！」その一言で子どもたちに笑顔が出てきます。そこから交流が生まれます。

砂の造形展

③卒業式への参加　卒業式は6年生の小学校生活最後の授業です。参加してくれた学生たちは、自分たちの小学校生活を思い出していたようです。緊張気味の子どもたちの顔。自分たちを祝福してくれる立教大学の学生と先生たち。子どもたちは、先生方や保護者の方と学生たちから見守られながら卒業して

いきます。絆で結ばれた卒業式です。

このように学校行事に参加させていただくなかでも、学生たちは震災のなかで生きる子ども達の現実に直面します。

※特に印象深い出来事がありました。学習発表会のお手伝いをしていた時です。ふと小学校の廊下の窓から亀山を見ていました。そして、ある女の子が「あの山はいつまではげているのかな」と私に言ったのです。私はその時はっとして、何と言ってよいのかわからず、「そうだね」と答える事で精いっぱいでした。私は震災後の大島しか知りません。子どもたちにとって非日常の生活が今の日常になっていることを痛感した瞬間でした。（鈴木理恵）

砂の造形展と遠泳大会は、海に囲まれた気仙沼大島ならではの夏の一大行事です。特に、高学年の生徒が挑戦する遠泳大会は、成長の証として子どもたちの自信になる行事であるそうです。また、海に囲まれている大島だからこそ、遠泳大会を通して泳げる子どもになる、という教育的効果も重視されてきたようです。しかし、気仙沼大島の美しい砂浜もまた、津波で大幅に砂を奪われたうえ、海中も瓦礫などの堆積物で危険が伴います。海に近づくことも心理的な負荷になる子どももいるなか、2011年夏にはこの行事は実施されませんでした。翌2012年夏、保護者へのアンケートをとったうえで遠泳大会は実施せず、砂の造形展のみ開催されることになりました。砂浜いっぱいに「くじら」や「くまもん」など、大きな造形が形づくられていきます。この頃には、まだ行事の最中に「海、こわい」と小声でもらす子どもも垣間見られましたが、リアルな造形ができあがっていくにつれ、笑顔がこぼれていました。

その後、小学校・中学校合同運動会にも参加させていただくようになります。強風で設置した段ボールなどが次々と飛ばされてしまう年もあり、大学生はひたすら追いかけてもとに戻す黒子役に。大島の運動会は大漁旗がたなびくなか、色とりどりの大漁旗を背負って子どもたち全員で踊る大島ソーランで幕を閉じます。音楽と踊りで子どもたちの力が一層磨かれ、大人たちが生きる勇気をもらう、それほど圧巻なものです。それを見つめる保護者からは、「この文化をなんとしても残していきたいですよね」という言葉が聞かれます。

このように様々な活動を重ねていきましたが、月1回、それも2~3日間程度しか滞在できない私たちにいったいどれほどのことができているのだろうか、と不安になる時期もありました。そんなおり、菊田先生からいただいた小学生の作文にひとつの答えを教えてもらったような気がしています。

> ※「震災から何年もたつのに、ずっと大島に来てくれて、行事も企画してくれる大学生はすごいな、と思います。私もいつかそんな大人になりたいです」

一緒に砂の造形を創りながら、「今度の学習発表会も来る?」「見に来てね」という子どもの声も聴かれるようになりました。いつしか、大学生は「また来る存在」「見ていてくれる存在」になっていったのです。

各回に参加する学生の顔ぶれは変わります。リピーターが複数いますが、初参加の学生もおり、そのたびに「はじめての出逢い」となります。積極的な学生もいれば控えめな学生もいます。子どもと関わる際に緊張が高い学生もいます。そのような様々なタイプのお兄さん・お姉さんがいることを知るなかで、子どもたちが自分のありのままを受け入れていくきっかけが生まれるのかもしれません。

今も続く仮設住宅での暮らし

たくさんの孫ができたねえ

高齢化が進む気仙沼大島では、3か所ある仮設住宅に多くの高齢者の方々が入居されています。そこで、スポーツウエルネス学科の教員・杉浦克己教授による健康教室も同時並行で実施してきました。この活動の流れを受けて、第33期からは、大島中学校仮設住宅での交流会を定期的に開催するようになります。仮設住宅の集会所をお借りし、学生が昭和歌謡を一緒に歌ったり、手作り作品や時にはお菓子を創ったりして「おちゃっこ」の時間をもちます。おもに高齢女性の方々が毎回参加してくださるようになり、学生もまた、自分たちに何ができるのか、工夫を凝らすようになっていきます。

そこでもちあがってきた学生のアイディアが、リングカードです。学生は毎回訪問できるわけではありませんので、今回参加した学生は次回参加する学生に自分のカードを託すのです。英単語カードのように表面と裏面があります。表面は自分の写真、それを見て名前を思いだしてもらい、裏面をあけると学生の名前とメッセージが書いてある、という仕組みです。認知症予防にもなるとの発案のもと、毎回カードづくりが続いています。いつしか、交流会には、たくさん貯まったリングカードを持参する高齢者の方々の姿がみられるようになりました。「たくさんの孫ができたねえ」「あれ、これ誰だっけ?」「えっ、ぼくですよ～」…リングカードをめくりながら、「わいわいした時間」が醸し出されていきます。

今日だよね、今日一日笑っていられたらね

大震災から歳月が流れるにつれて、仮設住宅の方々の疲労や病気も顕在化していきました。同時に、「仮設暮らし」の不便さや改善してほしいことを言葉にしない、という傾向も感じられるようになります。「言ってもどうにもならない」という諦めが強くなっていったのです。

そのようななか、悲しい別れにも直面します。2014年冬、仮設住宅に暮らすしのぶさんがお亡くなりになったのです。2012年当時、しのぶさんは深い瞳をまっすぐ私たちに向けながら、「津波になんか負けちゃいられないよ。私たちはあの戦争を生き抜いてきたんだから！」「あの頃は食べるものもなにもなくて。でも今は震災があってもこうやって支援物資もあって食べ物もあるでしょ」「こうして学生さんたちにも会えるし」と笑顔で語っておられました。しのぶさんの生き抜く力に、私たちが勇気をいただいてきたのです。

しかし、仮設住宅での生活が長引くなか、ある日、しのぶさんはこうおっしゃいました。「今日だよね。今日一日、笑っていられたらいいよね」と。この言葉の重みは、今も私の頭から離れません。しのぶさんも、大学生の孫たちとの交流をいつも楽しみにしてくれていました。しのぶさんとの思い出を刻む学生の声です。

※私は初めての活動の時に、しのぶさんに出会いました。しのぶさんのお話やお孫さんのお話をしてくださいました。翌月に連続して活動に行った時に、しのぶさんは私の名た。しのぶさんは無邪気な笑顔で楽しそうに、旦那さ

前を覚えていてくださいました。しのぶさんが一番最初に私の名前を覚えてくださった人でした。私は人との関わりを作るという目標の第一歩を踏み出せたと感じました。しのぶさんは交流にあまり自信のなかった私に、自信を持たせてくださいました。しのぶさんには感謝の気持ちしかありません。

それからなかなか活動に行けない期間が続きました。そんな時、悲しい知らせを聴くことになりました。あまりに急な出来事で、状況の理解に時間がかかりました。仮設住宅に訪問してお参りをさせていただくまで、信じられないでいました。実際に関わった期間は短いと思いますが、しのぶさんが亡くなられたという事実は、私の心にズシッと重く残りました。仮設住宅で一生を終えるというのはどのような心境なのか、私には想像すらできません。合掌している時、しのぶさんに何を語りかけてよいのかもわからなかったです。ただ、しのぶさんは最期、幸せな気持ちだったかなとか、自分との関わりで少しでも明るい気持ちになれたかな、などを思うことしかできませんでした。どこに向けるでもない憤り、やるせなさを感じました。

私はまず、今もこのように仮設住宅で暮らしている人がいるということを知ってほしいと思います。興味を持ったら行動してみて、関わってほしいです。そして、そこからまた発信して拡げてほしいです。そうすることで考えは拡がり、いずれは最善策に繋がると信じています。だから私は、この活動を通して、自分が感じたことを伝えるということを大切にしたいと思います。

（坂口直輝）

仮設商店街を通して見える「復興」の現実

32期（2014年度）からは、大島地区だけでなく気仙沼本土の鹿折地区にある仮設商店街にも定期訪問するようになります。復興支援室スタッフで大島拠点担当の増田健太氏が、震災後に関わりをもつようになった塩田賢一さんとのご縁によるものです。

通称、団平さん。気仙沼地区のなかでも甚大な被害を被った鹿折地区に、団平さんが経営する飲食店と自宅はありました。330トンある第十八共徳丸が陸地まで打ち上げられたことで有名な地域です。

鹿折地区で話をする団平さん

甚大な被害地域であるにも関わらず、行政の支援はいっこうに進まないなか、団平さんは自ら重機の免許を9種類もとり、瓦礫撤去に取り組み始めます。そうして開設したのが仮設商店街・鹿折復興マルシェです。自力での復旧によって、全壊したいくつもの商店が営業を再開できたのです。

しかしながら、土地のかさ上げ工事のため、仮設商店街は次の土地へ移転を余儀なくされます。共徳丸は解体が決定し撤去されたことで、客足もめっきり減少していきます。再度移転した新たな仮設商店街は「鹿折復幸マート」と改称し、団平さんは「釜揚げうどん『団平』」の営業を続けています。しかし、新たな土地も工事のために使用期限があります。その期限までには、被災前に店があった地域のかさ上げ工事は終わっていません。「震災の直後より今のほうが厳しい」――これが5年がたとうとしている被災地の現実です。

このような現実をひとりでも多くの学生に知ってほしい、また、団平さんの足跡から復興とは何かを考えていってほしいとの思いから、店の営業の合間に団平さんには講話をお願いしています。かさ上げ工事にも実施主体によって格差がある現実、メディアでは報道されない復興計画の矛盾。団平さんは、この現実を目で見て知ってもらうため、高さが6メートルある「鹿折見学台」を市に交渉して建設。そこに立って話を聴くなか、学生たちは「何を以って復興と言えるのか」、自分の目で確かめ、考え、発信することの大切さを学んでいます。

「自分が生きているうちに復興はない」――団平さんの言葉です。卒業後にも団平さんと交流を続ける卒業生の声を紹介します。

※団平さんは、発想力があり行動力があり実現力があり、人脈や人望が一身に集まる人柄があり、大きな背中でいろいろなものを背負って立つ、まさにリーダーと呼ぶにふさわしい印象がありました。リーダーシップがあるがゆえ、団平さんがいるから心強い、と多くの人にとって頼れる存在である一方で、団平さんに任せていれば大丈夫だ、という雰囲気も少なからずあったようです。

今でもプライベートで交流があり、遊びに行くと笑顔で「おかえり！」と迎えてくださいます。一緒に過ごした時間が増えるごとに、また会いに行きたい気持ちも増していきます。「前は昼寝できるくらい、波の音をきくとリラックスしたけど震災後は緊張するようになった。でも最近、やっとそうでもなくなってきたかな」と顔を上げ、前に進み続けている方たちが心に秘めていること。現地の方々が経験されてきたこと。見えない部分を推し量る想像力を持ち、これからも寄り添っていきたいと思います。（浅見由希乃）

コミュニティワーカーとしてのまなざしが交差するところ

生き残った者の使命として

２０１３年春。菊田先生は定年退職を迎え、気仙沼大島小学校の校長としての職務を全うなさいました。この時期に、私たちは、菊田先生に気仙沼大島拠点における立教大学のコーディネーターをお願いできないか、打診することにしました。しかし、大島小学校を会場として提供していただいて以降、土曜日・日曜日に校長室で仕事をなさる菊田先生の姿を拝見してきたことから、更なるご負担にならないのかどうか、迷いもありました。気仙沼大島は、震災直後の孤立した時期に飲料水の補給車も到着しなかったことから、学校のプールの水を濾過して使用したことがテレビで放映されたこともあって、その存在が知られるようになりました。いくつもの団体や個人からの支援物品等も全国各地から届いたほか、校庭や体育館を使ってコンサートや模擬店をやりたいといった要望もその当時は次々に寄せられてきていました。その受け入れを調整し、受け入れたのちには写真とともに生徒の作文を添えてお礼状をお送りする。それだけの業務でも大変な労力を要します。「なるべく断らないようにしているんですよ」――菊田先生はその方針を貫き、土曜日・日曜日を使ってその作業をなさっていたのです。

震災直後の復旧期を経ると、被災体験の語り部の依頼が各地から入るようになります。講演の際に使用する写真を、一緒にパワーポイントにしていった折、ふと菊田先生はこうおっしゃいました。「今でも、話していると涙が出てきてしまうんですよね」「何度話してもだめですね」と。菊田先生は、それでも私たちの活動の折にも、小学校の教室で学生に被災体験を語ってくださいました。そこに参加した学生の言葉です。

> ※実際の写真と体験は本当に衝撃的であり、〝メディアを通じた誰か〟の話ではなく今私がいる場所で実際に起きた出来事であることを痛感し、頭のどこかで非現実的に思っていた考えが一瞬にして崩れ、涙が止まり

ませんでした。その後も何度か菊田先生からお話しを伺う機会がありましたが、いつも当時を振り返りながら涙ながらに話してくださいました。そのため、話すことでつらい思いを思い出させてしまっているのではないかと尋ねたことがあります。その時、菊田先生は「話すことで思い出すから確かに辛い思いはあるけれども、生き残った者の使命として伝えていきたい」とおっしゃっていました。（鈴木理恵）

被災者であり支援者であるという現実

大震災発生時、菊田先生は気仙沼本土の小学校校長をなさっており、遺体安置所となった小学校体育館の管理運営にもあたってきました。そこで対面したのが、変わり果てた教え子の姿です。菊田先生ご自身のご自宅も、津波で流出し全壊しています。被災者でありながら、支援者として立ち続け、かつ、教育者として子どもたちに寄り添い続けた日々です。「校長室の窓はなるべく開けておくんですよ。そうするとね、子どもたちといろんな会話ができるんですよ」――教員のなかでは唯一の島の住民である菊田先生は、門前に立って朝のお迎えもなさってきました。

退職の春――「これからは、お世話になった人たちを尋ねに全国各地をまわろうと思うんです。語り部になろうと思うんですよ」そう伝えてくださいました。立教大学のコーディネーターもご快諾いただき、今日に至るまで学生たちを導いてくださっています。

活動を通し、さまざまな方にお会いしながら、気づいたことがあります。地域の誰かのことを常に気にかけるまなざし、声をかけ関わろうとする姿――地域のなかには根っからのコミュニティソーシャルワーカーである住民が沢山いるのです。菊田先生もまさにそのおひとりでした。宿泊させていただく旅館や民宿のかたがたにも、そのまなざしを教えられてきました。そして、子どもたちのなかにも。

想い続ける大地――「ふるさと」

もうひとつの「ふるさと」

4年半の歳月を経て、変わってきたことがあります。ひとつは、学生にとっての被災地の存在です。活動に何回も参加し、支援室業務のインターンシップにも関与してくれた谷廣さんの声を紹介します。

※活動に参加したかつての先輩方は、気仙沼大島のことを「ふるさと」と表現します。私にもようやくその理由が分かってきたように思います。活動を通して築いてきた立教大学と気仙沼大島の信頼関係のおかげで、島の方々は私たちを温かく迎え入れてくれます。「来てくれてありがとうね」「また帰ってきてね」と声をかけて下さる一人ひとりの顔を思い出せます。人を想う心や力強く生きることを教えてもらいました。そしてまた、自分自身の力を気仙沼大島のために還元したい、貢献したいと思うようになりました。

今こうして関わりを持つことができ、私にとっても「ふるさと」のような存在になった気仙沼大島のために何ができるかを考えて、行動することが大切だと感じます。そして島で暮らすじいちゃん、ばあちゃんに元気を与えて、父ちゃん、母ちゃんの期待に応えて、小学生・中学生・高校生が夢と憧れを持てるように、ふるさとに暮らす「家族」のことを想い続けたいと思います。（谷廣波津樹）

また、現在引率スタッフを担っている宮田瑠子さんはこう語っています。

※私たちと同じように何気ない日常を送っていた東北の方々が、震災という経験をして、なお生きるそれぞ

れの姿に、生活をすること、働くこと、人と関わること、自分の住む土地を大切にすること、たくさんのことを学ばせていただいています。同時に、自分にも同じようなことが起きるかもしれない。そのような時、自分はどうなのだろうと、自分のいまの生活を考え直すこともあります。このように自分の生活に近づけて考えてみると、〝訪れる場〟であった気仙沼が、〝生活の場〟であると感じることが多くなりました。生活の場であると思うたび、復旧・復興の進みが遅く、5年経っても先行きが定まらないいまの現状が、より一層重みをもって感じられてきます。（宮田瑠子）

帰り道の「お見送り」と港での「お見送り隊」

学生と子どもの関係も変わってきました。学生が子どもたちから与えてもらっているものが、学生を変えていっているのです。

※当初は、被災地のために何かがしたいという思いが強くて参加していました。活動に参加をする中で、自分自身が被災地のために何ができているのか、思い悩むこともありました。でも、今はシンプルに会いたい人がいるから大島に行きます。会いたい子どもたちがいるから会いに行きます。こんなつながりが人を救ったり、新しいものを生み出したりするのだと子どもたちに教えてもらったからです。今、この気持ちを大事に生きていこうと心に決めました。（渡辺鴻樹）

中高生の学習支援の際には、終了後に自宅まで歩いて一緒にお見送りすることを大事にしてきました。1対1で話をしながら帰ることもあれば、子どもひとりにたくさんの学生がついて帰ることもあります。「おい、今日は一緒だぞ」と学生を指名してくる子どももいます。学校や部活動の悩み、将来のことや夢、恋愛事情など、学生がお兄ちゃん、お姉ちゃんとなって相談にのる貴重な時間ともなっています。いつの頃からか、子ども達による「お見送り隊」も結成されました。

※震災後、多くの出会いがある中で、立教大学のみなさんとの出会いは、私に幸せな時間を与えて下さいました。学校行事がある度に参加して下さり、一緒に走って遊んだり、キャンプをしたり、勉強を教えて下さいました。立教大学のみなさんが、大島に来てくれる日が私の毎月の楽しみになっていました。

そして帰って行かれる時には、「お見送り隊」を結成して、雨の中でも雪の中でも、桟橋で船が見えなくなるまで、皆で手を振ります。「ありがとう、また来てね」私達に出来る精一杯の恩返し、感謝の気持ちでした。(菊田有笑)

※立教大学のみなさんが帰る時の船には、みんなで見送りにいきました。そうするとみんな喜んできてくれました。小学生のころは、船が出る時に走っておいかけたり、「またきてね」「バイバイ」と叫んだりしました。中学生になってから行ける機会は少なくなりましたが、行ける時はみんなで見送りをしています。船が出る時には立教大学のみなさんも「また来るね」「楽しかった」と言ってくれるのを聞くととても嬉しくなりました。

卒業した方々も大島に遊びに来てくれたり、久しぶりに来てくれた方が名前を覚えてくれて、勉強会にいった時に声をかけてくれたりしてとても嬉しかったです。(小松優衣)

手を振る姿が点になって見えなくなるまで、お互いに手を振り続けます。気仙沼大島ならではの「別れの儀式」です。

「ふるさと」への誇り

学習会が終わって会場の外に出たとたんにひろがっている星空。「この星空はあたりまえじゃないんだぞ」――引率スタッフの増田健太さんがたびたび子ども達にかけている言葉です。

豊かな海、360度展望できる亀山からの景色、春を彩る緑色の桜の花――大震災は、気仙沼大島の自然の宝庫を襲いました。私たちにとっては「綺麗」に見える海岸も、地元の方々からすれば変貌した姿です。しかし、それでもなお、美しい「緑の真珠」大島に学生も感激します。それをきちんと子どもたちに伝えることの大切さを、増田さんは身をもって示してきました。その姿勢からは、子どもたちのエンパワーメントを大切にしたい、そう目標に掲げるなか、子どもが本来もっている力を引き出すことばかりがエンパワーメントではないと、気づかされます。子どもたちが生きる大地、子どもたちを生かす大地そのものへの誇りを感じあうことのなかにも、エンパワーメントが醸成されていくのです。

子どもたちの「お見送り隊」

ともに歩む大切な仲間

２０１５年年末、48回目を迎えた気仙沼大島訪問。２日目の午前中には、仮設住宅での交流会をいつも通り予定していました。「おはようございまあす！」その前日の夜、勉強会に参加していた中学生の何人かが駆けつけてくれました。高齢者の方々への声掛けなど学生があたふたしていると、集会室の準備を手伝ってくれています。交流会では高齢者のかたがたと笑いころげる姿も。最後に全員で写真をとり、大学生はそれぞれのお部屋に高齢者の方々のお見送りに。すると、集会室にいた中学生が「さあ、私たちは片づけをしよう」とテーブルや椅子を率先して片づけ始めてくれていました。

震災当時、小学生だった子どもたちが、今こうして一緒に活動のなかにいます。中学生の声です。

※今までは何気なく、あることがあたり前だと思いながら参加していましたが、最近ふとあたり前ではなく、感謝しなければならないことだと思ったのです。私が初めて参加してから4年くらいたちました。こんなに長く続けていただいていることに感謝の気持ちでいっぱいです。この気持ちを忘れないようにするために一回一回の勉強会を大切にすることが必要だと思います。だからこそ、これからも勉強会があるかぎり参加し続け、将来交流した全ての方々に恩返しができるようにしていきたいです。(小野寺未桜)

※震災から5年が経とうとしています。私は中学2年生になりました。あの頃、小学生だった私は、立教大→学のお兄さん、お姉さんと一緒に遊んだり、お話することがとても楽しくて、嬉しくて何も考えずにただワイワイ騒いでいるだけでした。しかし、中学生になり、勉強や部活動、生徒会活動を通して、たくさんのことを学び、喜びや、大変さを実感しました。そこで私は立教大学のみなさんのことを考えた時、小学生だった私達に、たくさんの愛情をかけて下さったことへの感謝の気持ちが更に強くなりました。辛かった震災ではありますが、震災と共に立教大学のみなさんのことは、私にとって忘れられない思い出となりました。そして、私が大人になった時、また立教大学のみなさんと会ってみたいと思いました。(菊田有笑)

「謙虚な気持ちで相手から教わろうという気持ちがあれば、年令など関係ありません。」――菊田先生の言葉です。いま、子どもたちと大学生は、年齢を超えて、人生をともに歩む「ふるさとの大切な仲間」になりつつあるのかもしれません。

「再会」

僕は海が大好きです

2015年の夏。大島児童館の部屋をお借りして、学生たちは菊田先生の講話を聴いていました。ふと、窓の外を見ると、男の子が立っています。私は、児童館に遊びに来た子かな?と思いつつも、講話の続きを聴いていました。また窓の外に目をやると、「あれ?」まだ男の子が立っています。講話が終わったので、すぐさま外に出てみました。見覚えのあるはにかんだ笑顔です。「あっ?　もしかして昔参加してくれていたよね?」そう声をかけると、「そうです。今、高校が休みなのでおばあちゃんの処に帰省しに来たんです」との返事。耳慣れない「敬語」です。私たちが大島で活動を始めた2011年当初から参加していた畠山翔太君でした。2011年3月に翔太君は小学校6年生、私たちと出会ったのは中学1年生の時でした。何回も活動に参加してくれていましたが、ご家族で転居することになり、それ以来会っていませんでした。「もう〜。敬語使ってるし、全然違う!」と、お互いに笑い合いました。

翔太君は、その頃の引率スタッフであった大塚光太郎さんにいつもじゃれていた子どもでした。ちょっかいばかり出していたあの頃。引っ越し前の最後の活動の時には、一緒に亀山にのぼり、光太郎さんとのツーショット写真を撮ったことが、昨日のことのように思い出されました。そんな思い出話をしながら、翔太君は今、航海士になるための高校に寄宿舎から通って頑張っていることを話してくれました。私と増田さんは、思わず「今度立教に来て授業で学生に話してほしいな」と言ってしまいました。

夏休みも終わり、シルバーウイークが近くなったある日。翔太君が増田さんに連絡をしてきてくれました。連休で学校が休みになるので立教大学に来てくれるというのです。幸いにも、大学は休日でも授業日です。9月22日、ついに翔太君が新座キャンパスに来校。さっそく震災復興支援室に来てもらいました。「これ、持ってきたんだけど」とカバンから出した封筒をあけてみると、なんと最後に亀山でとったツーショット写真と大塚さんからのお手紙でした。それからは、すっかり入れ替わった現在の学生メンバーと学内探検や体育館でバレーボール。はたまた卒業生も駆けつけてくれました。そして、200人以上いる授業、その後の10人くらいの演習の2コマで、大島のこと、航海士になる自分の夢のことなどを堂々と話してくれたのです。

その時の学生の感想文をみると、自分より若い高校生が夢をきっちりと持ち、目を輝かせて語る姿に圧倒されていることがわかります。翔太君の信念が、学生の心を動かしたのです。

※僕は、気仙沼市にある大島という小さな島に生まれました。大島は周りが海に囲まれ、自然が豊かなところで「緑の真珠」と呼ばれています。海の近くに生まれたこともあり、毎日のように海で遊ぶくらい海が大好きでした。このこともあり小学校の高学年になったくらいから海の近くで働きたいと思うようになりました。しかし、無事小学校を卒業できると思っていたとき東日本大震災が起きました。激しい揺れと津波は大島も襲いました。大島は津波で壊滅的な被害を受けてしまいました。津波により交通手段であるフェリーが陸へ打ち上げられ、周りを海で囲まれている大島は孤島となってしまいました。その時まで10センチや20センチくらいの津波はありましたが、数メートルという津波は聞いたことがなく、陸に打ち上げられたフェリーを見て改めて津波の怖さを知りました。

中学生になり、僕の夢は航海士になりたいと思うようになり、より具体的な夢に変わりました。航海士になりたいという夢を叶えるため高校は千葉県の館山にある国立館山海上技術学校という船員を育成する学校に入学しました。海上技術学校は一般的な教科の他に船員になるために必要な専門教科を学ぶことができます。

先日、立教大学の大学生の方たちの前で震災のことや僕の将来の夢についてお話する機会がありました。僕の話が終わると質問を受けました。それは、「なぜ、震災で津波を怖いと思ったのに海の近くで働きたいと思ったのか?」という質問です。これは質問されるまで一度も考えたことがなく、ただ「嫌いにはなれなかった。」としか答えられませんでした。

僕は海が大好きです。だから、航海士になりたいという夢を絶対に叶えたいです。(畠山翔太)

「高校受験の時には、ひとりで必死に勉強したんだ」と、あとから教えてくれました。気仙沼大島の大地が育んだ夢です。本当は気仙沼本土と大島をつなぐ航海士をやりたいけれど、現在進んでいる架橋事業があって気仙沼では働く場所がないといいます。しかし、入社したい会社ももう決めていて、授業や実習に励む日々です。

授業終了後には、新座駅近くのお店で、学生・卒業生とともに食事会をしました。高校生にはまったく見えず、すっかり大人の翔太君。再会を誓って別れました。

僕が役にたてるなら話します

２０１５年11月。またもう一人、立教大学に来てくれた高校生がいます。私たちの活動の初期に大広間を提供してくださった村上さんご夫妻の息子さん、裕二郎君です。やはり高校2年生になり、将来の進路を考える時期を迎え、大学の見学に来たのです。裕二郎君は愛知県にある高校に進学したため、２年ぶりの再会となりました。お母さんは気仙沼大島から駆けつけ、新座キャンパスで合流です。久しぶりにあった裕二郎君、身長も追い越されるほどの成長に歳月を実感した瞬間でした。学生たちも駆けつけてくれ、なかには自分が入学した頃に使っていたテキストを、参考になったら、とプレゼントしてくれた学生もいます。渡辺鴻樹さんです。

※久しぶりに会って、まず、裕二郎君が自分と同じくらいの身長になっていたことには驚きました。その後、復興支援室で1時間ほど一緒に話して、大学見学をしました。大島で一緒にふざけていた子どもと、今大学↘で真剣に進路について話していると考えると感慨深く、この活動の意味はもしかしたらこういうことなのかな、とふと思い嬉しくなりました。（渡辺鴻樹）

お母さんの村上かよさんが、授業で話をしてくださることになり、急遽、教室に行きました。やはり200名を超える学生が受講しています。お母さんが教壇に向かう際、裕二郎君に「どうする?」と声をかけると、「僕が役にたつなら話します」と一緒に教壇に立ってくれたのです。その授業の担当である松山真教授が裕二郎君にその当時のことを質問すると、初めの頃は、いろんな人が次々と話しかけてきて、それが嫌だった時期もあったことを、素直に話してくれました。生活が激変し動揺していた時期に、次々と沢山の人が出入りして話しかけてくるのですから、そう思うのも当然であったでしょう。しかし、裕二郎君は続けてこう言ったのです。「でも、そういう経験があったからこそ、今こうやって沢山の人の前で話をすることもできるようになりました」と。そして、次のような声を寄せてくれました。

> ※僕は立教大学の勉強支援に中学校の時にお世話になりました。勉強支援が始まったころ、僕は行きたいと思っていなかったし、立教生の人と話す気にもなりませんでした。だけど立教生のみんなは、僕を見つけるとすぐに話しかけてきました。最初は隠れたりしていましたが、立教生の人たちが会うたびに話しかけてくるので、僕は一度話してみようと思って勉強会に参加しました。それからは支援があるたびに、毎回のように行くようになりました。
>
> 今考えると、震災があって人と話すのが嫌になっていたとき、立教生の優しさや明るさに触れて、その思いがなくなったのだと思います。支援の中には、勉強だけでなく遊びもあり、体を動かしたりする時もあり↘ました。遊びの中でも立教生と話したり笑いあったりすることができ、毎回支援に来る人も変わったりするので、新しく来た人とも友達になれることがとても嬉しいことでした。
>
> 何よりも勉強が楽しく思えていたので支援の日を待っていたりした時もありました。受験前の時には、頑張って!応援してるいるよ!という言葉を沢山もらいました。受験に合格することができその報告をして、一緒に喜んだのを今でも覚えています。しかし、僕が受験した高校は愛知県にあるので、最近の勉強支援に行けないのが残念です。でも、中学の時、立教生と沢山話が出来てよかったと思っています。立教大学と出会ってなければ、今も人と話すのが嫌になっていたか

もしれないし、高校に行っていなかったかもしれません。立教大学の勉強支援は、僕にとって勉強を教えにきてくれるだけではなく、心の面でも助けてもらっているのが本当に感謝しています。↗

今は自分の店を出したいという夢に向け、勉強しています。これからもたくさん壁にぶつかることもあると思いますが、立教生にかけられた言葉を思い出しながらくじけずに夢に向かっていきたいと思います。(村上裕二郎)

4年半の歳月のなかで、私たちはすべての子どもたちに関わることができたわけではありません。活動の規模も回数も限定的です。しかし、なしえる活動の範囲のなかでも、子ども達と学生達が関わり合ってきた軌跡が、それぞれの人生の記憶に刻まれる出逢いとして、かけがえのないいのちを生きる礎になっていくことを願ってやみません。

注(1)　気仙沼大島の概況については、以下の文献・ホームページから引用している。
・『はやわかり気仙沼・大島漁村誌』気仙沼・大島漁村文化研究会、２０１２年
・http://www.oshima-kanko.jp/（気仙沼大島観光協会ＨＰ：２０１５年12月１日閲覧）
・http://www.pref.miyagi.jp/soshiki/ks-doboku/o-shima.html（宮城県ＨＰ「大島架橋事業」：２０１５年12月１日閲覧）

付記　気仙沼及び気仙沼大島の皆様に心より感謝申し上げます。本項の編集は、宮田瑠子さん（立教大学大学院現代心理学研究科博士前期課程）、谷廣波津樹さん（立教大学コミュニティ福祉学部政策学科）の尽力により進められました。また、本章の執筆は、コーディネーターの菊田榮四郎先生、気仙沼拠点の担当の増田健太さん（東日本大震災復興支援推進室スタッフ）、福祉学科教員で気仙沼大島担当の杉山明伸先生の日頃のご尽力のうえになしえたものです。

Ⅱ―2 陸前高田交流プログラム（岩手県陸前高田市）

「奇跡の一本松」で有名になってしまった岩手県沿岸部最南端にある陸前高田市は、元々は7万本の松と長い砂浜が美しい地方都市でした。気仙杉と気仙大工で有名で、一昔前までは多くの出稼ぎ大工さんの町でした。海の幸に恵まれ、田んぼや畑で自分たちが食べる物を作っていくという地産地消の街でもありました。

市の中心部のほぼ全域を15ｍを超える津波が襲い、２０００戸を超える住宅が押し流され、市役所・消防・警察など災害後に中心的機能を果たさなければならない施設も水没してしまいました。市内に12もあった漁港とその周辺も破壊され、「陸前高田市は壊滅」と表現されたほどです。市の機能も停止し、災害初期活動にも大きな支障がありました。道路が寸断され孤立した地区も多く、自衛隊が到着するまで困難な避難生活を強いられました。停電が全て復旧したのは7月になってからでした。（松山　真）

震災前人口	2万4246人
死者・行方不明者	1952人
現在の人口	2万20人

被災世帯数	4063世帯
最大浸水高	17・6ｍ
被災世帯率	50・4％

陸前高田「奇跡の一本松」1 本だけ津波に流されず残った

震災前の陸前高田市（中心部）

津波後の高田町　以前は商店街と住宅があった

生活をともにするコミュニティ支援

松山　真
コミュニティ福祉学部教授

陸前高田市での支援活動の基盤整備づくり

立教大学は、２００３年から陸前高田市生出《おいで》地区で炭焼き体験を中心とした交流を重ねてきました。その関係から、陸前高田市を支援活動の拠点にすることはすぐに決定しましたが、始めるには多くの困難がありました。

自動車の確保

陸前高田は、最寄り駅が新幹線一ノ関駅、そこから車で1時間30分ほどです。市内の移動も車以外に手段はありませんでした。ボランティアが沿岸部に集中しており、新幹線各駅のレンタカーは予約を取ることが大変だったため、どうしても自前の車が必要でした。幸いなことに、森本教授が理事をしている団体が、中古車販売会社が復興支援活動に車を寄付するプログラムに当選し、２台手に入ったことから、１台譲ってもいいということになり、７人乗りの車を頂くことができました。「サポートカー」と名付け、一ノ関駅付近に駐車場を借り、気仙沼と陸前高田の活動で使用出来るようにしました。4年半でおよそ4万5000キロと大活躍しています。

宿泊先・拠点の確保

長期に活動するためには安定した宿泊先の確保も欠かせません。しかし観光地だった沿岸部のホテルや旅館も被災した上、警察・消防・多くのボランティア団体が入り、宿泊する所がありませんでした。遠野市にボランティア基地が出来て、多くの団体はそこから車で2時間くらいかけて通っていました。一ノ関駅前のホテルでさえほとんど予約も取れない状況でした。自治会の集会所や公民館など探しましたが、風呂や水道がないなど条件が整った施設はなかなかありませんでした。「夜行バスで日帰りでいい」「寝袋に寝ればいい」という、条件の悪さに耐えることがボランティア活動だとする人もいますが、長期的な活動を目指すためには、安定した基盤は絶対条件です。無理は長続きしないのです。

私は2011年4月に仙台で専門職ボランティアをしていました。その時一緒に活動した岩手県作業療法士会から来ていた高梨さんの実家が陸前高田だと聞いていました。藁をも掴む思いで連絡をしたところ「実家を使って貰ってもいいと両親が言っている」ということで、急遽ご実家を訪ねて事情を説明しました。ご実家は難しいようでしたが、すぐ近くで避難所として使われていた家が仮設住宅入居に伴い空くのでどうか、と紹介を受けました。20人ほどの方々が4か月間避難生活をされていた家です。布団や食器、台所用品、冷蔵庫、電子レンジなども揃っており、自由に使ってもいいとのことでした。しかも無料で。震災前から空き家だったのをお隣の黄川田さんが綺麗に管理されてきたということです。

後で分かったことですが、高梨さんのお父様はとても親切な方で、地元の多くの人に信頼されていました。「あの高梨さんに頼まれたら嫌とは言えないし、お金を貰う訳にはいかない」と説明されました。また、お隣の黄川田さんも地元の信頼の厚い方でした。このお二人に出会えたことは、本当にありがたく貴重なことでした。その後、この家を「立教大学コミュニティ福祉学部・陸前高田サポートハウス」と名付けて、その地区の自治会長さんたちにも挨拶をし、宿泊施設兼拠点として利用させていただきました。家の持ち主は八王子在住の柴田さんで、定年後に実家に戻るからということで、丸3年使わせて頂いた後、2014年10月一杯でお返ししました。他団体は3時頃に活動を終えて宿泊先に2時間、3時間掛けて移動している中で、陸前高田のまっただ中に住むことができたメリットは計り知れません。

サポートカー

初代サポートハウス（小友町）

2015年7月から借りた2代目サポートハウス(米崎町)

新たな家を探すときも、不動産屋に相談する考えはありませんでした。卒業生の大塚君が陸前高田に住み、人間関係を広げていました。彼の大家さんの知り合いの家が空いているという情報があり、見せて頂いたところ、お風呂は使えないものの畳などはしっかりしていたので、お借りすることにしました。震災前からの空き家であらゆる所に埃が積もっていましたが、徹底的に掃除をしました。布団は新たに購入し、カーペットなどの備品を少しずつ揃えている所です。ここも震災後は避難所として利用されていたということので、ここに泊まることで避難生活を少しでも実感出来るのではないかと思います。

田舎では、インフォーマルな人間関係が重要です。人口2万人程度の市では、代々そこに住んできた人たちがほとんどです。誰かの名前を言うと「あー、あの人のじいさんは○○した人だ」とか、「兄弟が5人いて、長男は…、次男は…」と次々に情報が出て来ます。それくらい人間関係が近い、そして決まってしまっている地域です。良い面としてはその人間関係の中で無理なことが通っていきますし、悪い面としては外の人間には動きにくいという所です。都会のルールで動いているのではないこの地域に馴染むためには、その人間関係の中に入っていくしかありません。地元独特のルールを知り、それに合わせて動くことができれば、わたしたちが目指す活動も地に着いたものになると考えています。

人間関係の形成、地域に溶け込むこと

活動の基盤でもある人間関係形成には多くの時間を使いました。立教大学に来て6年目でしたが、大学には7年に一度の研究休暇を申請出来る制度がありました。1年間大学の授業と会議を免除され、陸前高田に家を借りることが出来れば、陸前高田で生活をしたいと考えていました。

被災地で考えていたのは、約130年前のイギリスで起きていたソーシャルワークの起源についてです。当時、上流階級（持てる者）が貧困層（持たざる物）に慈善として行っていた「友愛訪問」と、貧民街に住み込み・調査・改良を目指した「セツルメント運動」とがありました。私は、物資を提供しイベントをすることよりも、そこに住むことで実感する生活を元に活動を考えていきたいと思っており、いわば「セツルメント的」なソーシャルワークを目指していたということになります。

2011年11月下旬よりサポートハウスに泊まり、陸前高田を理解するプログラムを開始しました。被害の跡が残る高田町や気仙町、小友町、広田町で車を降り、震災前の写真を持って同じ場所を歩き、出会った方々から出来るだけ話を聴くことを中心とした活動でした。多くの方が名前も知らない学生に話し掛け、津波の恐ろしさ、いざという時の行動、当たり前の生活の大切さを語って下さいました。

2012年4月からは1年間休暇を許可されたことから、サポートハウスに寝泊まりし、買い物をする店がない、コンビニもATMも何キロも離れている生活を始めました。4月の寒さを知り、夜7時には店が閉まる生活の不便さを知りました。

最初にしたのは、できる限り様々な会議や集まりに出ることです。ボランティア団体の連絡会や報告会に積極的に出席し、どんな団体がどこで何をしているのかを把握していきました。一方、市役所の職員の助けになりたいと思い、市役所に押し掛け一緒に業務をさせて欲しいと依頼しました。その結果、職員のメンタルヘルスのサポートを依頼され、社会福祉課が関係する機関や施設を回ることになりました。サポートハウスに、近隣の仮設住宅の自治会長さんたちをお招きして夕食会も開きました。時間があれば様々な集まりに出かけて行き、立教大学と関係のある人がいれば会いにいきました。

こうして人間関係を広げていきました。知らない人と話をして繋がっていくのはなかなか大変なことでした。しかし「家にいたら誰とも会わない。自分から動かないと何も始まらない」と自分に言い聞かせて、あちこち訪ねていきました。様々な方と知り合いになりながら、「ここに学生を連れて来たい」と思う人や場所を見定め、学生を連れて来るプログラムを作っていきました。

「ボランティア」ではない活動を――人との交流を大切にしながら

交流プログラムのコンセプト

大学の教員が学生を引率してプログラムを行うからには、教育の一環でなければなりません。しかも「コミュニティ福祉学部」です。単にボランティアをさせるわけにはいきません。「被災地にボランティアに行く」という考えを持たせないことを意識していました。この教育は、人生経験からくる、人間とは、生活とは、いのちとは、ということにかかわる大切な教育です。短期間に結果を出す教育ではなく、参加した学生が20年、30年後に実感するかもしれない、気づくかもしれない、そういう教育です。

このプログラムを実施していくために次のようなコンセプトを繰り返し伝えてきました。

○ボランティアをするために行くのではなく、人と出会い、人と話すことが目的
○ボランティア活動は、人と出会うための手段であって、目的ではない
○震災前の陸前高田や陸前高田での生活を知る
○その陸前高田に何が起きたのか、自分の足で歩き、景色を見て、人と話して考える

○「支援する人」と「支援される人」の関係にならない
○「準備された交流」は「はじまりのはじまり」
○自分から手紙を出し、「本物の交流」へと発展させて欲しい
○学部理念「いのちの尊厳のために」を学びとる教育活動

これらのコンセプトをプログラムの中に具体的に組み込むことにより、参加学生の意識を高め、陸前高田やそこの人たちに関心を持ち続けていくように様々な仕掛けをしていきました。

○震災前の街並の写真・津波時の写真を持ってその場所に立ってみる
○市役所や体育館の周辺を歩き、中に入れてもらい、考える
○サポートハウスで避難生活をされていた方々に来ていただき、当時の様子を話していただく
○サポートハウスでは、夜電気を消し、園芸用ソーラーライトだけで話し合いをする
○道で誰かと出会ったら、挨拶をして話をする
○「家に上がれと言われたら上がる、食べろと言われたら食べる」
○身体を使う・仕事をするのではなく、人の話を聴く時間をたくさん取る（交流）
○サポートハウスでの夕食に、地元の方々に入ってもらう（交流）
○交流している写真を撮っておき、後で写真を送る
○プログラム終了後に、出会った方々に、自分の写真を入れて手紙を出す

震災ボランティアの心得と反するものもあります。実際、仙台でのボランティアの際は、名前や住所を訊くことや写真撮影は厳禁でした。個人的な交流はしてはいけない、全員に平等に接することがルー

ルとなっていました。しかし、津波で家や財産を失った方々に、新しい楽しい思い出を作っていただきたいとも考えました。何年も交流するつもりでしたので、「こんな時もあったね」「こんな学生が来たね」と一緒に写真を見て思い出話ができる日を信じて、写真を送り続けています。写真の力は大きく、一瞬にしてその時間に戻ることができます。それが楽しい思い出ならば、こころの復興に役立つと思います。

交流プログラムの内容

陸前高田交流プログラムの流れと目的を簡単に記しておきます（具体的な内容は後述）。

①観ること・感じること

車の中から景色を見ても何も分からないでしょう。出来るだけ長い時間、地図や写真と見比べながら、自分の足で歩くことで、多くのことに気づくことが出来ます。津波の高さまで登ってみなくては分からないことがあります。当時のことを知らないわたしたちにとって、少しでも実感することは重要です。

⑴震災の街を歩く

２０１３年まで、高田町の「雇用促進住宅２棟」や「総合体育館」「高田高校」は、大量の砂や貝殻が床を埋め尽くし、冷蔵庫などの家財道具、自動車などが散乱したままでした。入るには申し訳ないという気持ちと哀悼の気持ちを持ちながら見ていきました。参加した学生たちは、黙ったまま何十分も動けずにいました。みなそこで起こったことに思いを馳せていたと思います。

⑵避難生活を実感する

小友町に借りたサポートハウスは、「三日市地区」の方が25人ほど避難所として4か月以上共同生活をされていた家です。電気もなく、そばを流れる小川の水を使い、風呂は庭にドラム缶で作ったそうです。その生活を体験するために、夜は電気を消し、園芸用のソーラーライトで話し合いました。避難していた方に来て頂き、当時の記録や、壊れた時計など見せてもらいながら避難生活の様子を伺いました。

②聴くこと――いのちの授業

多くのいのち、多くの物を失った方々だからこそ語れる内容があります。わたしたちはその語りを真剣に聴くことが大切だと考えています。津波が来たまさにその場所で語って下さる方もいます。そして、津波のことだけでなく、生きていることの大切さ、生きるために心がけていること、当たり前のありがたさ、人は自然には叶わないと謙虚に生きること、など、「いのちや生活の大切さ」を語って下さいます。立教大学コミュニティ福祉学部の理念である『いのちの尊厳のために』ということを、一般市民の方々が学生に教えて下さるのです。これを『いのちの授業』と呼び、陸前高田プログラムの中心としています。

一人ひとりご紹介します。

⑴大船渡市末崎町「鮮魚シタボ」さん

２０１１年10月からほぼ毎回伺っています。最初は、元店舗だった場所にテーブル一つで再開されましたが、小屋ができ、仮設店舗になり、冷凍庫が入り、２０１５年に新店舗が出来ました。生きたままの魚介類の名前や捌き方を学生に楽しく教えながら、生きるということについて語って下さいます。

○（賞味期限が切れたマヨネーズをわざと学生に渡して）賞味期限が切れていたら食べられないか？津波の時はそんなことは言っていられない。何だって食べられる物を食べなきゃ。頭で考えるんじゃなくて、五感を使って生きろ。自分で食べられるかどうか確かめたらどうだ。

○海の恵みで生きて来たんだ。これからも海の恵みで生きて行く。だから海は憎くはない（娘さんを津波で亡くしてもこのように語っておられます）。

○朝、目が覚めたら布団の中で波の音を聞いて、今日は漁があるか判断する。高い堤防ができて海が見えない、海の音が聞こえない方が困る。

○津波が来たら逃げるしかない。人間は自然には勝てない。

○俺たちは何でも感謝して生きている。お風呂に入れる、ご飯が食べられる、ストーブがある、どんな小さなことにも感謝している。当たり前にあった物が全部なくなって、当たり前がどれだけありがたいことか知っている。あんたたちは、都会で何も不自由しないで生活している。物が沢山ある生活をしているけど、感謝することを知らないのではないか。そういう小さなことに感謝しているか？　今度東京の方で大きな地震があったら、俺たちみたいに生きて行くのは難しいだろう。ここではみんなが持っている物を出し合って生きてきた。奪い合うこともないし、助け合わないと生きていけない。物に溢れていると感謝することもないだろうし、みんなで分けるのも難しくないか？

○（大船渡市の名所『穴通し磯』に連れて行って下さって）大船渡湾口堤防は壊れたが、穴が開いているあの岩はどこも壊れていない。自然は強い。人間の造ったものは結局は自然には勝てない。

⑵「八木澤商店」河野会長

立教大学のOBとして後輩に熱い思いを語って下さいます。壊滅した気仙町今泉で200年続く老舗醤油屋さんを経営されていましたが、トラック2台を残して全ての財産を失ってしまいました。しかし震災前からの人間関係によって、多くの人の支えといくつもの奇跡的な出来事で事業を再開されました。人と人の繋がりがいかに重要か、それも日常の中で培う関係の重要性を教えて下さいます。

○ロウソク1本あれば人は幸せになれる。停電で電気が点かなくても、ロウソクが一本あれば生活が出来る。ロウソクで生活して分かったのは、家族のありがたさだった。夕食の時、おにぎりしかなくても、ロウソクを1本立てておくと、ロウソクの周りに家族が集まってくる。みんなが一つのテーブルの周りに、顔がつくくらいくっついて座る。携帯もテレビも使えないから、みんな寄ってきて話始める。ロウソクの生活だった時、家族とこれまでで一番話をした。お互いのことをありがたいと思った。

○一度会っただけでは「絆」にはならない。何度も何度も会って「出会い」を「絆」にするんだ。

○人はひとりでは生きていけない。助け合って生きる。日頃からの絆があるから、何かあったときに動いてくれる。何かあったから絆が出来るのではなく、日頃から人を大切にしているかどうかだ。

⑶「米沢商会」米沢社長

高田町の元市民会館の横に自社ビルがありました。3階建てのそのビルは、公的費用で解体せず、個人の責任で残されています。高台の造成が始まった今、残っているのはそのビルだけとなっています。市民会館が指定避難場所となっており、周辺の人たちは何の疑いもなく3階建ての市民会館に避難されました。米沢さんの両親も、弟さんも。米沢さんは、店や倉庫の片付けなどしていて逃げ遅れてしまいます。真っ黒な津波がみるみる迫り、高くなっていき、追われるように上へ上へと逃げます。3階の上の屋上のさらに上の狭い屋上に逃げます。鉄製の階段を登る時、もう足下に津波が来てそこも危ないため、突き出た煙突の上に登りました。人がようやくひとりしゃがんで居られるような狭い場所です。幸いにも、足を置くところは平で、しゃがんで手すりのように掴まる所がありました。津波の高さはどんどん増し、とうとう足が浸り、波が自分に掛かります。高さは15・7ｍです。回りは360度全部真っ黒い海になってしまい、そこに沖ノ鳥島のように、少しだけ水面に出た場所にかろうじてしゃがんでいる状態です。振り返ると市民会館は水没していて全く見えず「家族はもう駄目だ」と思ったそうです。船や色々な物が流れていき、自分が乗っている煙突に何か当たったらそれで終わりかも知れない、そんな恐怖の中で必死に煙突から落ちないようにして過ごしたそうです。

ビルは家族の思い出でもあり、敢えて取り壊さず、そのビルに一緒に上り、どういう状況だったか実際に再現しながら、生き残るため、生きるために常日頃からどう行動したらいいかを考え、準備することの大切さを教えて下さいます。最初は、語ると思い出してしまい、夜中に叫んで目が覚めるなどつらかったそうですが、そのつらさと闘いながら、体験だけでなく、生きるための教訓を語るのです。

○車を停める時は、頭から入れないですぐ出せるように前向きで、出口近くに駐車するように。車を切り返す10秒の差で、助かった人と亡くなった人がいる。いつもそうやって考えて行動することが大切。

○知らない土地に行ったら、まず何かあった時にどこにどうやって逃げるか確認しておいた方がいい。

○陸前高田にまた来て下さい。綺麗になった陸前高田も見て欲しい。

⑷東海新報社

大船渡市の高台に本社を構える東海新報社は、地域密着の地元新聞社です。ふとしたことで知り合った記者さんから、社の理念とその奮闘振りを伺い、学生を連れて何度も聴きに行きました。

前の社屋は海の近くにあり、チリ津波で被害を受けました。そのとき必要な情報が提供できなかった反省から、社屋を山の上に移しました。非常用発電機も、印刷機も、紙もすべて自社ビルに置き、万が一の場合にも新聞発行が可能な体制をとっていました。通信手段が遮断された避難所では、最も知りたい家族や親戚の情報はどこからも入って来ません。そこで、避難所に貼り出してある避難者名簿を写真に撮って読み取り、手入力で記事にし、通常はあり得ないことですが収容された遺体の情報も掲載しました。そして、ガソリンが不足する中、全避難所に印刷した新聞を配達したのです。早朝4時頃届けに行くと、焚き火を囲んで待っている人がいたそうです。

大震災の中、一日も欠かすことなく、地域に必要な情報を追求し、印刷した新聞を発行し続けたことは、おそらく他に例がないのではないでしょうか。非常時を想定して備えるということの意味、会社の使命を常に意識し行動すること、人びとのニーズに応えることについて教えていただいています。

⑸名も知らぬ方々

陸前高田市内を歩いていると、多くの方が学生に声をかけてくれます。「東北の人は無口だ」というのは間違いだと思う程です。名前も何も知らない、会ったばかりの学生にも深い話をされるのです。

○お金や物に執着してはいけない。高台に逃げたのに、お金や車や通帳を取りに家に帰って亡くなった人が居る。お金や物はなくなっても、いのちが助かればあとは何とかなる。いのちが大事。
○助かったのは一瞬の判断だ。津波が来てから考えていたら間に合わない。日頃からどうするかを考えていなければ駄目だ。知らない土地に行ったら、ここで地震が起きたらどうするか、海は近いかなどちゃんと見ておくこと。いつも注意している人はいざという時にとっさにいい判断ができる。
○自分で考えることが大切。市が指定した避難所に避難して大勢の人が亡くなった。人の判断に従っていたら助からなかった。自分のいのちは自分で守らなければならない。

③手紙を出す――新しい思い出を一緒につくる

陸前高田交流プログラムは、参加が目的ではありません。宿泊した体験は生涯忘れることのない貴重な体験ですし、大きな学びの機会にもなります。しかし、それだけではこのプログラムは完成しません。自分の経験を語って下さる方々、活動でお世話をして下さる方々に、手紙を出すことを課しています。それも自分の顔写真を付けて。お互いに顔と名前が分かった上で手紙を出すということです。メールやSNSで済ませてしまう学生たちには、自筆の手紙を出すことも、また新しい体験です。そして返事が戻ってくればなおさらです。手紙には便箋や封筒など個性が出ます。何度も読み返すことが出来ます。なにより、3万円負担して陸前高田に行くことを考えると100円程度と負担もわずかです。しかしその効果は大きいのです。津波は思い出の手紙や写真まで奪っていきました。これから「新しい思い出を一緒につくる」ことを目指し、手紙と写真を届けていきたいと思います。

次の段階へ

陸前高田の状況は大きく変化しました。復興のスピードは遅いと感じていましたが、4年半が経過し、公営住宅がいくつも完成しました。高田町の高台造成も進み、広大な平らな土地が出現しました。山もあちこちで削られ宅地になっています。仮設住宅を出て、新居に転居する方々が増えた一方、仮設住宅に住み続けている方々も相当数おられます。さまざまな格差が顕著になったといえます。中学校の統廃合が進み、少子化がますます進行しています。公営住宅の高齢者率が40%のところもあります。

これらを地元の方々はどう捉えておられるでしょうか。人間関係が密であったこの地域に、都会の感覚を押しつけてはならないと思います。震災でそのスピードが加速したのかも知れませんが、元々そういう地域であったと思います。驚くような歴史と文化と芸能が生き続けてきたコミュニティです。そのコミュニティを大切に守ろうとする方々を、外の考えを押しつけることなく、伴走的に新しいコミュニティの形成を見守っていきたいと思います。

■「鮮魚シタボ」の村上夫妻より

遠く不便な田舎の被災地に足を運んで下さった先生方、このプログラムに参加された学生の皆さん、本当にありがとうございました。

東日本大震災のあった平成22年10月、がれきが山積みの海岸で初めて松山先生にお会いし、これからの交流活動の内容を伺った時には、これほど長期に渡り大勢の皆さんが参加されるとは思ってもいませんでした。皆さんは普段生活している関東から、新幹線で一ノ関駅到着後は、殺風景な被災地、聞き慣れない田舎の言葉、見知らぬ土地の初めて会う人びととの活動の後、夕食の食材購入と称して、当店を訪れました。初めて見る丸ごとの魚、動く海産物に「興味津々」「苦手」という気持ちが素直に伝わってきました。わたしたちもお会いする時間がとても楽しみでした。「さて、今日は何を見せるか」というのもその一つです。春は若芽やメカブ、夏はウニやマンボウ、秋はサンマやイカ、冬はタラやカキなど訪問した時期によって心に残った食材もまたそれぞれだと思います。何でもいつでも手に入る季節感のない今、海の四季、食材の四季を分かって頂くのも仕事だと思っています。

目や耳で食べるのでは無く、鼻や口、触感を大切に！過剰な情報に惑わされず、自分の感性に自信を持って五感を充分活躍させて下さい。

今年3月に本設の「鮮魚シタボ」が完成しました。海の生物を見る、触る、捌く体験の場でもあります。田舎のおじさん、おばさんの所へ帰るような気持ちでまたおいで下さい。参加された方からたくさん手紙を頂いています。それぞれ工夫して楽しい手紙になっています。卒業しても連絡を下さる方が大勢います。またこれまでの思い出の写真も全部ファイルしてあります。また会いに来て下さい。

新婚旅行は、是非「碁石海岸」「穴通磯」へ!!

■吉田富男さん夫妻より

大きな被害を受けた東日本大震災から4年と8か月が過ぎました。目を閉じるとあの日高台に逃げ、目の前で家・財産を全て流失したあの光景が脳裏から離れません。小友町キャンプ場モビリアで3年7か月4畳半の狭い仮設暮らしをしましたが、避難所の団体生活では我慢と忍耐の大切さを学びました。絶望の底に落ち、どこか気分のすぐれない生活でしたが、そんな中翌年6月16日、立教大学コミュニティ福祉学部教授松山真先生に出会いました。7月28日には立教大学生による流しそうめんが催されました。以来松山先生が定期的に毎月学生6名から8名ぐらいをつれて、小友町サポートハウスでの夕食会を開き、翌日は必ずモビリアの仮設に来て下さりわたしもおもてなしの心で接しました。その後文通を交わし現在お手紙150通余り頂戴致して1通1通毎晩のように読み返しています。大震災があったからこそ素晴らしい立教大学生と巡り合って生きる喜びと若さと元気・笑顔をもらってわたしも家内と共に楽しく暮らしているのです。わたしは今年3月で満80歳を過ぎました。息子夫婦と孫2人(小学校6年男、小学校3年女）6人家族で暮らしています。わたしの生きている限り立教大学生の皆さんを見守っていきます。陸前高田の復興を見届けに来て下さい。お会いする日を楽しみに待っています。（平成27年11月1日）

「交流」が復興支援　陸前高田交流プログラムで何を学ぶか

大塚　光太郎
コミュニティ福祉学部大学院卒業生

現地の方々との交流が目的

私は在学時、支援室スタッフとして引率などを担当し、卒業後は大切な人を亡くした子どもをサポートするＮＰＯに就職しました。現在は、陸前高田市に住みながら活動しています。

陸前高田市での活動は、「陸前高田交流プログラム」という名で展開されている通り、現地の方々との「交流」を目的としています。復興支援なのに、なぜ「交流」なのでしょうか。プログラムの内容を紹介しながら、そのことについても記載していきたいと思います。

プログラムは通常１泊２日、最大７人程度の規模で行います。現地に向かう前に、陸前高田市やその周辺の大船渡市について、被害状況や地名、歴史や文化などについて知る時間を持ちます。参加者が集まり、資料や震災前の陸前高田市の街並みの写真などをシェアします。参加者同士が顔を知る時間でもあり、現地に向かう準備をする時間です。その後、事務的な手続きを終えて、現地へと向かいます。

現場で体感して、人と出会う

車の中からではなく、震災前の街並みの写真などと見比べながら、実際にその地に降りて、時間をかけ自分の足で歩きます。自分の目で直接現場を見て、その場の空気や音にふれて、体感することで被害の大きさを体感します。ここで何があったのか、何が失われたのか、時間をかけて知ろうとすることは、住民の方々の気持ちを理解しようとする姿勢のひとつだと私は思っています。

歩いている中で出会う方には、立教大学の学生であることを名乗り、挨拶をします。その当たり前が大規模な災害に遭った地ではとても大事になります。大学のない陸前高田市では、学生は珍しい存在です。「震災があって、どこかから来たのだな」ということが現地の人にはすぐにわかります。「(外から来る人は)どんな気持ちで(町などを)見てるんだろう」という声を聞いたことがあります。学生は、大切な町に入り、見せていただいていることを意識する必要があるのです。

また、挨拶をきっかけに、いろいろな話をされる方がいます。語り部だったり、応急仮設住宅(以下、仮設住宅)などの集会所で積極的にご自身のお話をされる方がいる一方、話し相手がいなかったり、狭い地域ゆえの気遣いから話ができなかったりする方々もいます。そのような方にとっては、外部から来た学生はかえって話をしやすい場合もあります。震災当時の壮絶な体験や苦しい思いを語ってくださることもあります。偶然出会う方の言葉には構えがなく、学生にとって大変貴重な機会となります。

夕食会での交流

学生はホテルではなく、陸前高田市に震災前から在る家で寝食を共にすることで、短い時間ですが「陸前高田市の生活」の疑似体験をします。家に灯りが着いたら「立教さんが来た」とその地域の方々に声をかけられることもあります。住民の方々が、どのような暮らしをし、どのようなコミュニティの中で生活をしているのかを、少しでも体験・体感することもまた、大切な経験となります。

夕食会には、住民の方々をお招きします。大切な人を震災で失われた方も多く、家を失った方の多くは仮設住宅で暮らしています。震災前は、親戚が集まり大人数で食卓を囲む生活を送っていた方々です。畳の部屋で学生たちと大人数で食事をする中で、震災当時の体験を涙ながらに話され、思い出話を語られ、そしてこれからの不安を語られ、たくさんの笑いと涙が生まれます。それは、震災で失われたものとつながり直す時間、その人たちが生きてきた証を大切にする時間ではないかと考えます。回数を重ねるにつれ、住民の方が名産の「かまもち」や「なべ焼き」を用意してくれるようにもなりました。「孫は食べねぇけんど、この子ら（学生）は食べてくれっから」という声もありました。

夕食会を終えた後には、きれいな星空を眺めます。現地の人にとっては当たり前でも、学生にとっては陸前高田市の良さです。「震災があって」というと、住民の方を「被災者」というフィルターを通して見てしまいがちです。壮絶な経験をされ、大変な状況で生活をされているのは事実ですが、それへの配慮をしつつも被災者役割を押し付けず、その地域の良さや力を知ることも大切にしています。

一日の終わりには、その日のことを振り返り、共有する時間を持ちます。

地域を感じる

プログラム2日目は未定のことが多くあります。ある程度の内容は計画していきますが、そのとき必要なことに時間を費やせるように、細かく決めないのです。夕食会でご一緒した方が「うちの仮設に来て」と言ってくだったり、地域のイベントなどに招かれたりもします。それは地域がどのように歩んでいるか、そのフェーズを感じることでもあります。仮設住宅に入れていただいた時のことを記します。

〈仮設住宅にて〉

陸前高田市など、東北太平洋沿岸部は広い家が多いです。「家の大きさが、その人ががんばってきた証でもあるんだ」とおっしゃっていた方がいました。仮設住宅での暮らしは、生活の不便さだけでなく、惨めさからくる苦痛もあることが想像できます。空き家で生活し、家の広さを体感した学生は、それをより実感します。また、実際に仮設住宅に入れていただくことで、狭さや不便さなども体感します。

仮設住宅でもお話を聴き、交流する時間を持ちます。私が学生たちと一緒に仮設住宅に訪れた時は、寒い時期でこたつがあり、ギューギュー詰めになって座りました。招いてくださった方は、わかめのしゃぶしゃぶを用意してくださっていました。「孫が来たようだ」と喜ばれ、若い頃の話から震災のこと、今の生活の不便さやご自身の体調のことまで話が及び、2～3時間があっという間でした。お別れのときは、全員で写真を撮り、後日その方にお渡しします。震災でアルバムなども流されてしまっているため、楽しい思い出をかたちとして残すことも大切なことだと考えています。

本物の交流へ——はじまりのはじまり

帰ってから、交流した方々へ手紙を送ります。手紙には、受け取った方が思い出しやすいように学生自身の写真も入れます。定期的に手紙を送って交流を続ける学生もおり、手紙を受け取られた方の中には、学生の住所録を作り、いつ手紙をくれたかのメモを取っている方もいらっしゃいます。そして、いつ誰が手紙を送ってくれたかなどを笑顔でお話して下さいます。

陸前高田市を訪問した後、違う現場のプログラムに参加する学生もいます。また、陸前高田の名産品を作って学園祭で販売したり、自分の学問分野を通じて東北にできることを考えたり、「関東に帰ってきたら優しくなっている自分がいる」と感じる学生もいます。現地のある方は「ニュースで陸前高田や大船渡という名前が出たら、「あっ！」って思って見てくれるだけでもうれしい。帰ってお家の人にこんな食べ物がおいしかったんだよって話をしてくれるのでもいい」とおっしゃっていました。学生たちは出会いや経験を様々なかたちで活かしています。このプログラムでは、現場での交流を終えた後、個人で何ができるかを考え動くことも目的としています。つまり、「はじまりのはじまり」なのです。

敬意をもって体感し、理解する

私が、陸前高田市での生活、支援活動を開始するにあたり心がけたのは、敬意を持って地域のことを理解するよう努め、様々な方々にお会いして、その声に耳を傾けることでした。外部から移り住んできた支援者として立ち位置を認識し、支援を押し付けたり、被災者役割を植え付けたりすることのないように、「しないこと」を大切にしています。課題だけでなく、現存する力も知り、様々な方と出会い、つながり、顔の見える関係を築いて、地域を支える持続可能なチームを創るお手伝いができたらと思っています。特別なことをしているわけではないという感覚です。

支援というものは、敬意を持って現場を体感し、現地の声を大事にする姿勢があってはじめて成り立つことを実感しています。それらの土台には、「陸前高田交流プログラム」はじめ、コミュニティ福祉学部の復興支援プロジェクトの活動があります。プログラムでの交流を通じて、支援者として大事なことを肌で学ばせていただいたと思っています。

いのちの尊厳のために

支援者という立場となり、「陸前高田交流プログラム」にはもうひとつ大切な学びがあると改めて感じていることがあります。それは、コミュニティ福祉学部の理念にもある「いのちの尊厳」です。

日本社会全体として人間関係や地域のつながりの希薄化が叫ばれ、孤立死や自死、凶悪な事件などが日々ニュースで取り上げられています。都会では隣近所の人を知らないのは当たり前ですし、親戚中で食卓を囲む機会も少なく、道で挨拶をされることもありません。そういう中で暮らしている学生たちが、陸前高田市では、初めて会った人から「家にあがってけ」と声をかけられ、野菜や魚などを当たり前のようにもらう体験をします。学生たちはただ訪れただけなのに「来てくれてありがとう」と言われ、血縁関係がないのに実の孫のようにかわいがられたりもします。効率優先の社会の中で「何かができるから認められる」生活をしてきた学生が、そういうことと関係なく、その存在を喜ばれる――今回の震災で多くの尊い命が犠牲になり、「いのち」のはかなさ、無力さを痛いほど感じられている方々から、存在そのものを大切にされるのです。それはつまり「いのちの尊厳」に触れる体験と言えると思います。

参加する学生の多くは、福祉の分野で支援者・専門家になろうと目指す学生たちです。ひとりの人としてはもちろんですが、誰かを支援するという支援者・専門家の立場になる人にとって、「いのちの尊厳」を肌で知っていることは、非常に大切なことだと思っています。この交流プログラムは、支援者・専門家としての「はじまりのはじまり」でもあると感じます。

Ⅱ―3　南三陸交流プログラム（宮城県南三陸町）

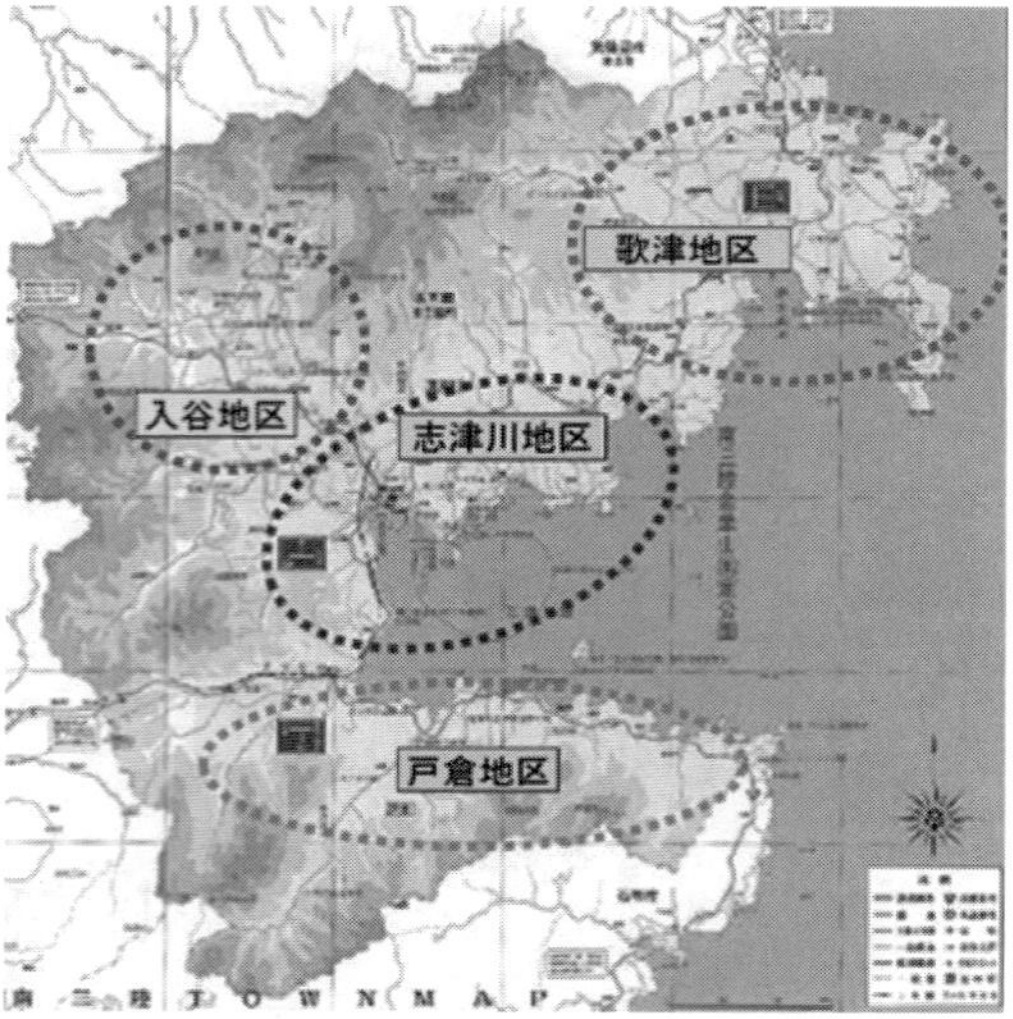

南三陸町の４つの地区
出典：http://www.dinf.ne.jp/doc/japanese/law/promotion/m37/ref2-2.html

宮城県南三陸町は、宮城県北東の沿岸部にあります。沿岸部一帯ではカキ、ワカメ、アワビ、ウニ、ホヤ、ギンザケなどの養殖漁業が盛んに行われています。

地域は、歌津地区、志津川地区、戸倉地区、入谷地区と大きく4つにわかれています。

東日本大震災による主な被害は、沿岸部の津波被害でした。マグニチュードは9・0、死者数・行方不明者数は約830人（震災前の人口：1万7431人）、街の約6割の世帯が半壊以上の被害を受けました。

震災後は被災者でもある町民を「支援員」として雇用した「生活支援員制度」が取り入れられました。町民は、『支援される存在』だけでなく、町の未来を担う大切な人材でもあるので、地元にある社会資源を生かしたシステムづくりを目指そうと始まりました。

復興状況としては盛土による「嵩上げ工事」、そして高台での復興住宅の建築が急ピッチで進められています。２０１６年の秋以降には沿岸地域に水産加工場や商店街、内陸側に住宅を移す計画となっています。しかし、町民の一部の声として嵩上げをするより逃げ道の確保をしてほしいという声があります。嵩上げによって海が見えなくなるのは寂しい。海の様子が見えなくなるのは津波に対する恐怖心が増すばかりで、高台への逃げ道をつくってほしいという課題があります。（河東　仁）

志津川地区の防災対策庁舎（震災前）

志津川地区の防災対策庁舎（震災後）

出典：http://www.bo-sai.co.jp/higashinihondaishinsai.html

現地の方たちが主役

南三陸交流プログラムの紹介

渡辺修司
復興支援推進室スタッフ

南三陸交流プログラムの活動について簡単に紹介をします。

活動は2016年3月で18回目を迎えます。私たちの活動は、何か企画をして現地で交流会をする、何かしてさしあげるということをしていません。「浅く広く繋がる」「支援するより学びにいく」というのがプログラムの特徴となっています。

なぜなら、①より多くのことを体験して、学べるプログラムにしたい　②現地の方・現地に住み着いた方々によるプロジェクトが南三陸で盛んに行われている　③いずれ活動が縮小してなくなることを見据えたときに、深く繋がることを継続していけるのか。これからも長く現地に行き続けることができるのか、深く繋がることで「責任」が生まれるのではないかという葛藤がある、という理由からです。私たちは、現地の方々が自立しておこなっている環境を見守るのも支援だと考えています。

今までどんな人と出会い、どんな活動をしているのかを学生・スタッフ目線でご紹介します。

出会ってきた人たち（作成　谷合あかね）

南三陸プログラムは様々な方との出会い、そしてその縁によって成り立っています。

〈さっちゃん〉

さっちゃんこと三浦幸子さんは仮設住宅で暮らしながらバッグなどの手作り小物を作っている方です。私たちが作業場を訪れるとさっちゃんは温かく出迎えてくれ、現在出来上がっている小物たちを見せてくれます。さっちゃんと出会うきっかけは関東で行われた東北物産展です。立教大学の近くで行われた地域のお祭りでは、さっちゃんの作品を学生が販売させていただきました。

〈あづま〜れ〉

歌津地区の仮設住宅に隣接する集会所兼カフェである「あづま〜れ」で交流しています。おじいちゃんおばあちゃん達の中に学生も混じって交流します。また、私たちと同年代で漁師の方との出会いもありました。

〈松野や〉

南三陸と言ったら「ごはんが美味しい！」。南三陸を訪れる楽しみのひとつである「食」においてお世話になっているのが、入谷地区にあるお食事処「松野や」。松野やにはプログラム１日目のお昼に伺うことが多く、ここの定番はっと汁をいただくと南三陸に来たことを実感します。女将さんには震災の体験談もお話ししていただきました。

〈志のや〉

志のやは、志津川地区にある「さんさん商店街」の中にあるお店です。大将こと高橋修さんは志のやの亭主であり、入谷地区にある宿泊施設「南三陸まなびの里・いりやど」でも食事を作っています。「せっかく南三陸来たんだからうまいもんを食わせたい」という言葉にジンときます。

〈Ｙｅｓ工房〉

入谷地区で復興支援グッズを販売しているＹｅｓ工房。廃校を利用したその施設では、オクトパス君というタコのキャラクター商品や、間伐材を利用したノベルティー製品の製作作業を行っています。南三陸プログラムでは工房見学として、それらの製作風景を見学します。ショップも兼ねたこの工房、実際に作っている姿を見ていると全部おみやげに買って帰りたくなってしまいます。

南三陸プログラムでは、学生たちが地域にはたらきかけ、何かを企画し「提供する」ということは一切ありません。毎回私たちは町内のスゴイ方々からパワーを頂いています。他拠点と違った復興支援の在り方として、南三陸の魅力にどっぷり浸かること、思い切り楽しむことを大切にしていると感じています。

〈生活支援員の方々〉

私と南三陸のかかわりは、生活支援員制度のＤＶＤ作成の話を聞いたことから始まりました。当初は正直、南三陸に特別関心があった訳ではありません。生活支援員制度そのものに興味があったのです。福祉のプロでなく被災者自身が被災者を支援するしくみ、南三陸のことを一番知っている町民だからこそできるコミュニティ支援、人と人をつなげる仕事…。生活支援員さんや仮設住宅に住まわれている方にお話を伺ったり、支援員さんの仕事を知るために同行取材もさせていただきました。また、この制度

Yes 工房にて見学　2015 年 9 月

を町としてどう捉えているのかを知るために、佐藤仁町長へのインタビューも行いました。そしてインタビューの締めくくりとして生活支援員制度の立役者、本間照雄さんにお話を伺い、制度発足の経緯やその思いを熱く語っていただきました。

これらのインタビューを通して思うことは2つありました。1つめは、自分はとても貴重な体験をさせていただいているということです。コミュニティ政策の現場で実際に活動している人から直接話を聞き、大学の講義では絶対に得ることのできない学びをさせてもらえたなと思っています。

2つめは、この生活支援員制度は南三陸だからこそ実現できたのではないかということです。南三陸の人たちはとても自立しているように感じます。コミュニティがしっかりしていて、自分たちの力で自分たちの町をなんとかしたい、しなければという思いをみなが持っているように感じます。そんな町の方々の持っている気概がこの生活支援員制度にうまくコミットしている、南三陸だからこそできる支援の仕組みだと思っています。

立教生の独自の活動

○「映像」（作成　門倉啓介）

南三陸映像プロジェクトとは、生活支援員さんの活動を中心として、地域の住民さんの声や、行政の方のお話、実際の生活支援員さんの活動の様子などをまとめ、それを次の震災時の資料とするための活動です。取材、撮影、編集は学生が担っています。教職員さんのお力をお借りしながら、なんとか形にしつつあるという活動です。

取材では多くの仮設住宅を訪れました。カメラに対して思いの丈を話してくださる方が、非常に多くいらして、どの話をＤＶＤに収録すれば良いのかという葛藤を感じながら、編集作業を行っています。

○「南三陸　わかめプロジェクト」（作成　向山沙良）

わかめプロジェクトは、わかめを始めとした南三陸の特産品を首都圏のお祭り等で販売することで南三陸のＰＲ活動をしています。このプロジェクトの始まったきっかけは、南三陸で活動中に様々な方との出会いを重ねる中で、南三陸では多くの方々が観光地としての復興を願っていることを知ったことです。南三陸で出逢った人・お世話になった人達に対して、私たちもお手伝いがしたい、また自分が知っている南三陸の魅力を一人でも多くの人に知ってもらいたい。そのような想いから活動が始まりました。わかめプロジェクトでは南三陸で出会った人達と共に商品をつくり販売などをしています。南三陸でお世話になった漁師さんが作った塩蔵わかめを販売したり、立教大学の学園祭「ＩＶＹ　Ｆｅｓｔａ」では「志のや」の大将と一緒に考えたわかめの特別メニューを販売しました。

南三陸の方々のお手伝いをしたいと始めたわかめプロジェクトですが、始動した現在でも南三陸で出会った方々に幾度も助けられ、感謝で胸が一杯になります。このプロジェクトを続けていき、南三陸に訪れる人がさらに増えていくよう邁進していかなければという想いが強くなるばかりです。

現地の企画に立教生が入っていく活動（作成　渡辺修司）

南三陸では外からきた人達（Ｉターン）による支援活動が行われています。

・入谷で行われるイベント「縁がわアート」

・羊毛体験や羊肉の販売を目的とする牧場「さとうみファーム」
もちろん、地元の人びと発の企画もさまざまにあります。
・入谷の観光資源を盛り上げるための「花見山プロジェクト」
・町民それぞれが得意とすることを、学園のサークルのように展開する「おらほの学園祭」
など多数、体験型プログラム・イベントがあります。

立教生が何かを企画するわけではなく、用意してもらったプログラムに乗っかり、さまざまな人と一緒になって活動することで間接支援・地域貢献に繋がった活動になればと考えています。

縁がわアートでのお手伝い（おとマップ作り）2015 年 9 月

花見山プロジェクトでの整備作業 2015 年 11 月

責任と主体性が伴う発信を

私（渡辺修司）は、２０１５年４月から復興支援推進室でスタッフとして、南三陸交流プログラムに関わっています。２０１３年にアーティストのＫＯＳＩＯ　ＲＡＷＭＡＮ（小塩智則さん）のお誘いをきっかけに、福島県南相馬市での復興支援活動に参加したのが始まりでした。その活動を通して岡博大さん（東日本大震災復興支援推進室次長・教育研究コーディネーター）と出逢い、今の自分の活動があります。

今、スタッフとして活動させて頂く中で私が思う課題は「発信」についてです。現地で学んだことをどの範囲で発信して良いのか。立教大学内だけでの発信はできる環境になっているが、外部への発信はできていないように思えます。例えば、基本的にはＳＮＳでの現地の写真を使った活動報告は禁止となっているため、復興支援を全然知らない人達に現地の様子を詳しく知ってもらうことができない。学内新聞などは発行できるが、外部に向けて活動の様子を見てもらう機会はなかなかないと感じます。

スタッフとしてプログラムの参加学生に対してどのような伝え方をした方が良いのか、どこまでが学生が主体になってやって良い範囲なのかというのを毎回の活動で悩みます。立教大学のプログラムに固執してしまって活動が閉鎖的になってしまう、外部への発信がほとんどできていないという現状を感じていました。

この本を通して現地の素晴らしさを発信して、還元に繋がれば幸いです。発信する上での責任。参加学生の主体性。それを酌んだうえでの発信方法をこれからも課題にしていきたいと思います。

「コミュニティの紡ぎ直し先進地」に学ぶ

河東　仁
コミュニティ政策学科教授

南三陸町との出会い

南三陸町にお世話になるきっかけは、２０１１年5月29日（日）、同町入谷地区の公民館長（当時）、阿部忠義氏に面会し、「なかよし農園」というプロジェクトを起ち上げるとの話をお聴きしたことにあります。入谷は中山間地域に位置しているため、激甚な水害は受けておらず、町全体における復旧復興活動の重要なセンターの一つになっていました。

その活動の一つが、入谷地区の仮設住宅に越してくる被災された方々が、入谷地区の住民と農作業を一緒におこなう「なかよし農園」であり、双方の心と心が触れあう場を造ることを目的としていました。その他にも、発災以前から作成されていた、受験合格のためのおまじないグッズ、タコチン（タコの文鎮）、別名「置くと合格《オクトパス》」君の作成を続行するＹｅｓ工房などがあり、これらには、少しでも雇用を増やそうとの意図も込められていました。

他の市町村と異なる生活支援員制度

被災各県では「被災者生活支援制度」を設立する準備が進められていました。南三陸町でも上述の動きと並行して、4月の初めごろ、同制度の基本的な設計がなされ、仮設住宅への移転の始まる7月半ばに本格的に起動しました。

ただし南三陸町の場合は、他の市町村とは異なり、ソーシャルワーカー・看護師・保健師・社会福祉士・臨床心理士などのプロを呼ぶのは最小限の人数とし、仮設住宅で暮らす被災した方々を生活支援員として採用することにしました。守秘義務の厳守、訪問の仕方、報告書の書き方などの特訓を受けたとはいえ、百人前後の「素人」集団でのスタートでした。

その理由は、(1)「被災者のことが最もよく分かるのは被災者」(2)この制度が運営される中で、支援員は、人と人の輪（コミュニティ）を造り出すノウハウを身につけてゆくことが可能。そのため将来、支援員制度が解散しても、コミュニティ造りの「プロ」が町の各地に存在することになる(3)コミュニティづくりにおいて何より重要なのは、外からの救援・支援に過度に依拠せず、お互いが知恵を出し合い、助け合う「共助」のシステムを根付かせることにある (4)被災した方々を採用することにより、復興へ向けての士気があがり、かつ雇用保証にもつながる、というものでした。

戸倉支援サテライトで支援員さんと交流会 2013年9月

こうして南三陸町独自の「被災者生活支援制度」が開始されました。そして復興住宅への移転が始まった現時点において、仮設住宅における「孤立死」は一人も出さず、生活支援員制度も人員を半減させながらも、仮設住宅にのこる方々への支援、そして災害復興住宅での新たなコミュニティづくりを着実におこなっています。

ここで、このような生活支援員制度を立案し、見事に始動させ運営した本間照雄氏（当時、南三陸町福祉アドバイザー）のお名前をあげておきたいと思います。というのも立教大学の支援活動において南三陸プログラムを編成するに当たり、同氏および阿部忠義氏のアドバイスに依拠すること大だったからです。

南三陸交流プログラムの編成における基本方針

学生たちを連れていくプログラムを作成するさいの基本方針は次のとおりです。

(1)いわゆる自己目的化したボランティア活動はおこなわない。

(2)過度なボランティア活動、さらに新プロジェクトの提案などは、ややもすると地元の方々の自主性を阻むことになりかねない。それゆえ、地元発という観点・姿勢を常に大事にする。

(3)もちろん学生たちが来ることで、結果的に、地元にパワーがもたらされることは期待している。これを学生は「間接支援」と名付けている。

(4)将来、起こりうる次の大災害に向けて、そのさいの対応策、ことにコミュニティの紡ぎ直しの仕方を「学ぶ」ことに力点をおく。

(5)具体的な学びとしては、①仮設住宅における生活支援員さんの活動、②「農林水産業」をめぐる、単なるボランティアに留まらない「つながり」を中枢に据えた活動の在り方、③伝統芸能・文化や創作アートを通した人の輪の紡ぎ方、④Iターンで南三陸での暮らしを始めた若者たちの生き方、の4つとする。

生活支援員制度の活動記録の作成

２０１３年3月11日に開催された式典の終了後、本間照雄氏より、支援員さんたちの様々な活動を学生目線で撮影してＤＶＤ記録集を作成して欲しいとの依頼がありました。文章や写真での記録はあるが、映像記録が一切ない。それゆえ、支援員として活動した方々が、将来、自分たちが何をどうしたのかを思い出すきっかけにしたい。と同時に、次に日本を襲う大震災に向けて、一つの参考になって欲しい。こうした理由によるものでした。

この作業は、南三陸交流プログラムを企画運営するスタッフにとってはもちろん、学生においても、さまざまな学びの機会となりました。ただし編集作業が難を極め、学生たちにかなりの負担がかかっていることが反省事項ではあります。

文化・アートプロジェクトへの参加

感銘を受けた本間氏の言葉に、「文化は流されなかった」があります。例えば戸倉地区に住む村岡賢一氏は、震災前に伝統芸能の水戸辺鹿子躍《ししおどり》を復元していましたが、衣装や太鼓が津波に持っていかれてしまいました。しかし偶然、道具類が浜辺に打ち上げられたことで再復元し、子どもをはじめとする戸倉地区水戸辺の方々にとって、大きな生きる支えになっています。伝統文化には、その人が依って立つ基盤となる力があることが学生たちにも伝わりました。

志津川にある上山八幡宮では、三陸沿岸部に伝わる、「きりこ」と呼ばれる切り紙細工の供え物を作成するワークショップを開催し、外部から訪れる人びとに、南三陸の伝統を体感してもらっています。ここの神主である工藤真弓禰宜は、地元の方々を集めて議論の輪をつくり、その中で、自分たちが理想とするまちづくりの案を絵にして描き、プレゼンテーション用に巻物の作品にする、といった活動も繰り広げています。

また震災直後に外部から支援に入った女性たちがつくったNPOウィメンズアイも、シングルマザーの会、地元の女性が起業するさいの支援、さらに毎年9月には、やはり震災後に途絶えていた入谷八幡宮の祭礼の復活に合わせ、「縁がわアート」というプロジェクトを立案・実施しています。伝統文化と創作アートのコラボといえます。その目的は、地元の大人や子どもたち同士の触れあい、そして外部から来た人と南三陸の人びととを繋げることです。

鹿子躍の衣装 2012年8月

その際に気をつけていることとして、「地元の方々の自主性」の尊重があるといいます。実際、２０１３年度に開催された「縁がわアート」は、ウィメンズアイが主宰する形になっていましたが、２０１４年度は、入谷地区にもとから住んでいる方々が自宅を開放するなど、主体的に参加している姿が見られました。２０１５年度には、ウィメンズアイが、南三陸町の随所で活動している団体や個人が集まって開催する「おらほの学園祭」に参加する団体の一つにとどまり、全体の運営は地元の方々が統括する形になっています。

縁がわアートで 2013 年 9 月

羊との遭遇 2015 年 8 月

200 本目のツツジを植樹（指文字で 200 の数字）2015 年 12 月

町外の若者たちのリピーター化、そしてIターン

歌津地区に、「さとうみファーム」という名称の羊牧場があります。持ち主は県外の方であり、実際に働いているのは、近畿地方などからIターンしてきた若者です。自然の厳しさを感じつつ、自然とともに生きる生活を求め、この牧場にて働き出したといいます。Iターンしてきた若者には、女性も大勢

います。「農工房」のプログラム作成と運営をしている方、観光協会に勤めている方などです。

もちろんＩターンしてくる若者は、さほどの人数がある訳ではありません。しかし、自然が豊かで自給自足が可能な地で暮らしたいと願う若者は、潜在的にかなり存在すると思われます。そのため観光資源の少ない南三陸町では、全国から若者に来てもらう仕組み、それも一度きりでなくリピーターになってくれる仕組みをさまざまに工夫しています。たとえば２０１５年度から始まった「花見山プロジェクト」。このプロジェクトでは、入谷地区の山を整理し、町外から来た人びとと一緒に花の咲く樹を植えていきます。そうすれば自分の植えた樹が咲かせた花を見るために、何回も来てくれるだろうというわけです。

諸課題への対処法を先取りした地域でのプログラム

この南三陸交流プログラムを始動させるにあたり、方針の一つとして「生業《なりわい》支援」は行わないことにしていました。ボランティアによって、地元の方々の賃金労働を奪ってしまってはならないからです。

現在、町や県は、沿岸漁業において、拠点をもうけて漁業従事者が共同作業する方向を呼びかけています。いわゆる「コンパクトシティ」政策の一環でしょう。しかし、自分たち一家だけでやり続けたい、だがどうにも人手不足といった声を各地で聞きます。それゆえ、次の段階として、ワカメなどの養殖の支援も視野に入れていく必要も感じています。

南三陸の事例は、まさに日本全体で進行している「少子高齢化」「過疎化」、そして次の大震災からの復興策などにおいて先駆けとなるもの、言い換えると、21世紀に日本が解消せねばならぬ諸課題への対処法を先取りして試みている先進地区といえます。つまり、南三陸は、被災地と先進地区の2つの顔をもっているのです。

最後に、南三陸プロジェクトとしては、このように様々な学びの地を巡回することが基本スタイルになっているために、①車での移動が大変である　②台風や余震などで、プログラムを変更しなければならない時がある　③プログラムの作成にあたって、参加学生の希望、さらには主体的なプログラムづくりが難しい、という問題を抱えていることも事実です。

次の世代をつくる責務

高橋　修

南三陸さんさん商店街・季節料理「志のや」店主

津波で店舗兼自宅が約2・5キロメートル流されましたが、九死に一生を得ました。以来、「一回死んだ身だから、何でもやってみよう」と思って生きています。

「まずは儲けを度外視して、今あるもので何かできないか」と思って、2011年4月には仕出し弁当屋を始め、復興市にも参加しました。6月には南三陸復興ダコの会を皆と作り、ご当地キャラクターのオクトパス君の販売などを始めました。その後、自分の店舗があった私有地を提供して、2012年

２月に仮設モールの「さんさん商店街」（２０１６年１月末現在、31店舗）を作り、地元の魚介類、海の幸を販売しています。店舗は平屋のプレハブを使い、中庭にフードコートも用意。あえて路地裏も作りました。駐車場を広くとったことも良かったと思います。阪神淡路大震災の経験者や、学生の意見を取り入れました。そして、いまや大型連休中に1万人もの人々が訪れる商店街に成長しました。

さんさん商店街を始めたことで、商売の原点を学ぶことができました。震災前までは、個々の店舗でバラバラに商売していましたが、南三陸の海の幸を生かしたキラキラ丼の販売など、毎週皆で会議をすることで、連帯感が出てきて、仲良くなっていきました。仮設のプレハブ小屋でも沢山のお客さんに来てもらえるようになり、自分たちで発信することで前向きになれました。震災は最大の危機でしたが、チャンスにもなったと思います。

立教生は、まじめで素直ですね。みな一生懸命。うらやましいくらいです。「いりやど」にも、よく泊まっていただいています。昨年は、南三陸の海の幸を生かした「わかめはっと汁」も一緒に開発して、立教大学の学園祭で販売してくれました。南三陸に行けば、地元のうまい食材が食べられるように、今後は、A級グルメのキラキラ丼だけでなく、B級グルメも開発していきたいです。

時間とともに、震災の記憶が風化していくことはしょうがない面もあるけれど、自分たち50代には、次の世代をつくる責務があります。震災で大変な目にあいましたが、そこからどう乗り越えていったか、伝えていくことも役割だと思っています。さんさん商店街は、単なる商売の場ではなく、交流する場でもあります。交流人口を増やしたい。ぜひ、若い人たち、学生さんには、震災が起きた場に来て、いろんいろな立場の人の話を聞いてみてほしいですね。

南三陸交流プログラムに参加した学生の感想から

南三陸をもっと知ってほしい

谷合あかね　コミュニティ政策学科3年

私にとって南三陸は「学びの場」というイメージでした。「学び」が重要なキーワードでした。しかし、何回も南三陸に足を運ぶうちに考えが変わってきました。行くたびに分かる南三陸の良さ、現地の人のあたたかさ、美味しいごはん…。もっと南三陸のことが知りたいと思うと同時に、このすばらしい南三陸をもっとみんなに知ってほしい、知らせたい、どうしたら伝えられるだろうと思うようになりました。私にとって南三陸が「学びの場、以上の場」に変化しました。

精力的でユニークな方が多い南三陸

向山沙良　コミュニティ政策学科2年

将来的に南三陸は観光地として人が賑わう町となって欲しいと考えています。何度か南三陸に行くにつれて私は南三陸の持つ自然の豊かさや人の温かさにすっかり魅了されてしまいました。むしろなぜ人離れが進んでいるのか疑問に思ってしまうほど南三陸のとりことなっています。

南三陸の良さは何といっても地元の方が精力的でユニークな方が多いことです。観光サービスを企画する企業や行政だけではなく、地域の方が一丸となって南三陸に訪れた人をもてなしてくださいます。町の案内も、地域の方がボランティアでおこなってくれます。その為、南三陸に行く度に「また南三陸まで行って会いたい」と思う人が増えていくと思います。

あらためて感謝

門倉啓介
映像身体学科3年

南三陸での活動を振り返ると、たくさんの場所に訪問し、多くの方にお話を伺っていました。映像プロジェクトは、本文中に書ききれなかった人々のお力添えの元で成り立っていた活動です。各サテライトの生活支援員さん、訪問させていただいたお店、宿泊施設の方々、インタビューに答えてくださった南三陸町内外の方々、そして、いつも南三陸を訪問すると笑顔で迎えてくださる皆様に、あらためて感謝申し上げます。本当にありがとうございました。

Ⅱ―4　石巻交流プログラム（宮城県石巻市）

漁業、工業の中心として

石巻市は旧北上川の河口に位置し、宮城県北東部地域を代表する都市です。伊達藩の統治下では、水運交通の拠点に位置する「奥州最大の米の集積港」として、明治時代からは、金華山沖漁場を背景に漁業のまちとして栄えました。１９６４年に新産業都市の指定を受けてからは、石巻工業港が開港するなど、工業都市としても発展を遂げてきました。２００５年4月1日に旧石巻市・河北町・雄勝町・河南町・桃生町、北上町・牡鹿町が合併し、新生「石巻市」が誕生。総面積５５４・５㎢、人口14万８８３３人です（２０１５年11月末）。震災前の２０１１年2月末には人口16万２８２２人でしたが、震災による死者、行方不明者、転出者などの影響もあり、約1万４０００人の減となっています（石巻市ホームページ）。

死者３０００人超・全住家数の4分の3が被災

地震・津波による死者は３１７８人、行方不明者４２２人、住家全壊は2万３９棟にも上りました。半壊、一部損壊を含めると5万６７０１棟が被災し、これは被災前の全住家数の76・6％を占めました。最大避難者数は5万７５８人（２０１１年3月17日時点）で、最大避難所数は２５９か所ありましたが、避難所は２０１１年10月11日、待機所は同年12月11日を以って全て閉鎖されました。応急仮設住宅は2015年11月末現在で133か所に7122戸が整備されていますが、ピーク時には1万6788人が住み、民間賃貸住宅に移り住んだ1万5482人を含めると、合計で3万2270人が仮設もしくはみなし仮設に住んでいました。

復興状況への不安、震災前からの高齢化

住まいの再建については、行政によるまちづくりの整理事業がさまざま実施されていますが、活動で訪問する際に聞こえてくるのは、市民の方にとっては進捗が遅く、不安や不満を感じているということです。また、生活するためには、仕事が必要ですが、震災によって、多くの方々が仕事に就けない状況にあります。石巻市では、被災された方々の雇用の場を確保するため、次の雇用までの短期の雇用創出や、人材育成を図りながら長期的な雇用の創出に努めていますが、これについても不安の声が聞かれます。
また、震災前からの課題でもある高齢化の問題があります。石巻市の高齢化率は2014年9月末現在28・9%で、全国平均を上回っています。震災による若年層の流出が高齢化のスピードをさらに上げたと考えられます。今後、復興公営住宅等への移転が本格化していきますが、高齢者にとって環境の変化は、心身に大きな影響を与えるため、閉じこもりやそれに伴う生活不活発病、孤独死の発生などが懸念されます。従前のコミュニティに存在していた帰属意識や助け合いの精神を、新しい地域で構築していく必要がありますが、それらの醸成は一朝一夕に出来るものではありません。この過程を全て住民に任せるのではなく、行政や保健、医療、福祉の専門機関・団体などが連携し、人々が助け合いの関係づくりをし、主体的な地域づくりに参画できるように支援していくことが求められています。（**長倉真寿美**）

私たちの石巻交流プログラムを紹介します

めだかさんとの交流をベースに

石巻拠点のプログラムは、２０１１年7月からこれまで計20回の活動を実施しており、2泊3日で、春・夏・冬（3・11の追悼の会、夏祭り・クリスマス会のお手伝い等）の定期派遣を中心に継続してきました。

これまで、石巻市で高齢者介護事業を行っているめだかグループ（以下、めだかさん）の利用者・職員の皆さんとの交流をベースに、事業所主催のイベントのお手伝い、地域イベントへの参加などを行ってきました。また、石巻の被災の経験や復興の歩みを知るために地元の住民や団体の方からお話を聞く、学びの要素を含んだ視察プログラムも取り入れています。

活動の受け入れ先であるめだかさんとの交流は森本先生(東日本大震災復興支援プロジェクト委員長)の研究室で、震災前に「小規模多機能型居宅介護」調査に伺っていたことがきっかけでした。その後、めだかさんが元倉地区の空き店舗を借りて事業所を再開しようとしているとの状況をお聞きし、学生の定期派遣が可能かどうかご相談のうえで石巻拠点の活動が開始されました。活動当初はとにかく「何かできることはないか」という手探りの中でのスタートでした。

被災・復興状況の視察、イベントへの参加

初日の視察プログラムでは、南浜・門脇地区を千葉孔三さんの案内のもとで歩き、その後に「石巻

ＮＥＷＳée（ニューゼ）」の武内館長にお話を伺うコースを定番としています。震災から5年、当時からの変化と変わらないもの。両面に気づく中で、「震災の現実」「復興とは何か」を考えていきます。

※「石巻ＮＥＷＳée」武内館長
石巻日々新聞社常務取締役、石巻ＮＥＷＳée館長。石巻日々新聞は、被災当時、機材が使えない中、手書きの壁新聞を発行して市民に情報発信をした。石巻ＮＥＷＳéeは震災を風化させないための情報発信拠点として２０１２年に開設された。
http://ishinomaki-kizuna-connection.com/newseeindex.html
（石巻ニューゼホームページ）

※千葉孔三さん
めだかグループの運転手として、被災直後、利用者の避難のために何度も車を往復。震災後、半壊した自宅を改修し、「門脇ハウス」をオープン。多くのボランティアを受け入れてきた。
http://kadonowakihouse.blogspot.jp/
（門脇ハウスホームページ）

また、震災から1～2年目の頃は、地域のお祭りのお手伝いや、石巻のご当地グルメ「石巻焼きそば」の販売など、地域イベントによく参加させて頂きました。地域イベントにスタッフ側として参加するのは、復興へ向かう現地の人々の想いを知るうえで、非常に貴重な機会でした。めだかさんは外の団体からボランティアの依頼を受け入れることも多く、そうした方々と一緒に、めだかさんが主催するイベントのお手伝いをすることもありました。

「皆で楽しむ」取り組み

初日の視察を踏まえ、２・３日目はめだかの利用者さんと一緒にイベントやレクリエーションを楽しむことを通じて、交流をしています。振り返ると、学生が企画・実施するイベントにも変化がありました。

2013 年冬のイベント

2014 年冬の活動

「提供型」（写真：２０１３年冬）から徐々に「皆で楽しむ活動」（写真：２０１４年冬）にシフトしていきました。何かを一緒にやりながら時間を過ごしていると、利用者さんは、ふとした時に震災のことや現在の暮らし、昔のこと等を話してくださいます。そうした言葉の中には、長い人生の中で困難を乗り越えてきた重みを感じます。

日常業務体験（送迎同行、入浴介助等）では、普段は忙しい職員の方々と交流ができるチャンスでもあり、「地域を支え・地域に支えられるめだかグループ」を実感できる貴重な機会となっています。

学生から現地職員に立場を変えて

荻生奈苗
（めだかの楽園職員）

「学生支援局　Ｔｈｒｅｅ―Ｓ」の立ち上げ

私が初めて被災地を訪れたのは、２０１１年４月でした。目の前に広がる光景と、「この先どうなるかわからない…」今後の生活に不安を抱える方々の話を聞き、この震災からの復興には多くの労力と、長い時間が必要であるということを確信しました。

その後６月に学生復興支援団体「学生支援局　Ｔｈｒｅｅ―Ｓ」の立ち上げに関わり、代表を務めました。学部を卒業後に２０１３年４月に立教大学大学院コミュニティ福祉学研究科に進学し、コミュニティ福祉学部東日本大震災プロジェクトの石巻拠点担当のリサーチ・アシスタント（ＲＡ）として学生の支援活動のサポートを行いながら、自身の研究活動も石巻で行っていました。

現在は石巻に移住し、プロジェクトの活動の受け入れ先であるめだかさんの小規模多機能型居宅介護「めだかの楽園」にて働きながら、社会福祉士を目指しています。

石巻の人たちは震災があったことから逃げられない

石巻に移住して一番思ったのは、私が知っていた石巻は、ほんの一部だったということです。石巻には本当にたくさんの人がいて、それぞれ置かれている状況が違う。自分がいる場所を「被災地」、自分が出会った数人の人を「被災者」としてひとくくりにしてしまうのは失礼だと感じています。これだけ色々な状況にある人がいて、複雑な状況にあるということを考えると、復興が思うように進まないというのも、どうしようもないことといいますか、本当に難しいことなのだということを痛感します。

次に石巻に身を置いて思うのは、そこにいる人たちは「震災が起きた」という現実から逃げることができないということです。被災地に居る人たちにとって震災は、人によって程度は違えども、その人の人生に何らかの影響を必ず与えています。どうしたって忘れられない、逃げられない現実です。

関東に住んでいる人たちは、例えば被災地に行って色々な話を聞いて心を痛めたとしても、帰れば心穏やかに生活することが出来る。震災があったという現実から目をそらすこともできると思います。でも被災地の方たちは、今後の人生ずっと、この現実と向き合っていかなければならない。このことこそ被災された方たちにとって最もつらいことなのではないかと私は思います。

次に、石巻が今直面していて、解決を迫られている問題は、きっと将来的に日本の他の場所でも直面する問題なのではないかということです。少子高齢化の問題、過疎化、コミュニティの崩壊、立場の弱い人が取り残されていく構造などです。それを考えると、今こうして石巻に身を置かせてもらって、色々学ばせてもらっているのは非常に貴重なことだと思いますし、多くの事を学び取って将来のために役立てていければと考えています。

「ともにあり続けること」

　これまで東北の被災地の支援活動に関わる中で「被災地を支援する」とはどういうことなのか、ずっと考えていました。今も「これだ！」と胸を張って言える答えは見つかっていません。ですが今の段階で私が考える被災地支援とは、そこにいる人たちと「ともにあり続けること」なのではないかと思っています。被災地を支援するというのはつまり、その中にいる人たちを支援するということであり、それぞれ複雑な状況にある人達を支援するには、とにかく、そこにいる人たちとともにあり続けることが重要なのではないかと思います。それは同じ目線で共通の問題に向き合って、解決を目指し一緒に頑張ること。決して何かしてあげるというわけではなく、同じ方向を目指して一緒に頑張る、また頑張ろうとしている人達をそっと支えるということだと思います。

学生に出来ること――「継続する」「想いをつなぐ」「伝える」

　また私がこれまで学生として活動を続ける中で、学生が被災地の支援活動に関わることで、「継続する」「想いをつなぐ」「伝える」の3つのことが可能になると考えました。

　まず「継続する」とは、学生が支援活動に参加することで、なるべく多くの人が東北、復興支援に関わるサイクルを創ることが可能になるということです。長い時間が必要とされる東北の復興の過程に、1人の人がずっと関わり続けるのは難しいことだと思います。しかし学生なら、人は変わっても「立教大学の学生」ということで活動を継続し、東北の被災地に関わり続けることが出来ます。

　次に「想いをつなぐ」とは、「学生」という立場から想いを発信することで、それが自分の周囲や社会にインパクトを与えることが出来ると思います。学生は他の人と繋がり、自分の想いを伝える様々なツールを持っています。自分が被災地に行って感じたこと、考えたことを発信すれば、それが周りの友達や知り合いに繋がって、「自分も東北に行ってみようかな」とより多くの学生に東北に関わる機会を持ってもらうことが可能になると思います。

最後に「伝える」とは、これから大人になる者として、今起きていることをしっかりと見つめ、後世に伝えていくことが出来るということです。私が石巻の方から頂いた言葉で、とても印象に残っている言葉があります。「あなたたちが結婚して、子どもができてお母さんになったら、また必ずここに来てほしい。そして子どもたちに、昔この場所でどんなことが起きたのか、あなたたちが伝えていってほしい」「わたしたちが今していることは、復興の『礎』にすぎない。復興の主役は、これから大人になるあなたたちなんだよ」

今回の震災は、私たちが普段生活しているところで起きたことではないからと言って他人事ではありません。震災が起きた時代に生きていた者として、自分の事として考えなければいけないと思っています。今東北で起きていることをしっかりと見つめ、感じたことを、これから生まれてくる世代に伝えていくことで、今回の教訓を後世に伝えていくことが可能になると思います。

石巻のエネルギーに触れる

私が学生の皆さんの前でお話をする機会を頂いた時は必ず、「石巻に『遊びに』来てね」と伝えています。そこには「被災地」だけではない石巻を知ってほしいという想いがあります。「石巻＝東日本大震災最大の被災地」のイメージですがそこにはごく普通の、ありふれた日常も流れています。被災地といっても、そこには普通に住んでいる人がいて、普通に生活を送っている人がいます。

また震災以降、石巻ではまちを盛り上げよう、再生させようという動きから面白い取り組みや、人、場所がいっぱいあります。そういったところにもぜひ目を向けていろいろ知ってもらえればと思っています。

そんな石巻の雰囲気を、空気を、実際に訪れて感じてほしい。百聞は一見に如かずと言いますが、その場所に立って感じて得られることの方が沢山あると思います。また今の石巻は、復興に立ちむかう街や人のエネルギーであふれています。そういうエネルギーに触れることでこちらが元気をもらえるということが沢山あります。

ぜひそんな石巻に一度来てみてください。

遠くの家族が来るような、待ち遠しさ

石山奏一　(有)井上技建 めだかグループ専務
石山うみか　めだかのふる里管理者

立教大学との出会いは震災前、森本先生、当時大学院生だった片山さん他5名からヒアリングを受けたことでした。めだかの活動や地域、私たち家族に興味を持って頂きました。

そして平成23年3月11日に、海岸から400メートルの距離にあった私たちの地域が無くなり、避難所生活が始まりました。会社を立て直すため小さなアパートを借りて仮営業を始め、やっと電話がつながって間もなくのころ「めだかさん！　やっと連絡がとれた！　無事だったんですね」と、聞き覚えのある片山さんの声に驚きました。その後、早くから足を運んで頂き、私達のつらい経験を聞いてくれ、事業再開に向け、掃除や引っ越しの手伝いなど精力的に尽力してくれました。

このタイミングで立教大学から、継続的に支援したいというお話を頂き、学生ボランティアを受け入れてきました。最初は学生ボランティアとその受け入れ先という関係でしたが、今では遠くの家族がいつ来るのか待ち遠しいような、当たり前のような気持ちでいます。震災後、様々なボランティア団体が支援をしてくれましたが、現在まで継続している団体は数少なく、立教の先生方や学生さん達からは、こちら側（被災者）に対するいたわりの気持ちも感じられます。利用者様は認知症の方が多いのですが、学生さん達のことをきちんと記憶していることが多く驚きます。レクリエーションやプレゼント等、毎回の準備も大変だと思いますが、楽しんでもらおうという真摯な気持ちがきっと伝わっているのでしょう。

めだかが地域の方々と長年かけて築き上げてきたコミュニティは、震災で崩壊してしまいました。現在めだかは3か所の事業所でそれぞれ、通所介護、小規模多機能型居宅介護を運営しています。今後は新たな場所で新しいコミュニティづくりをしていかなくてはなりません。立教大学コミュニティ福祉学部の専門であるコミュニティづくりで、お力添えをいただければと考えています。

高齢者福祉、地域福祉の知識や経験を駆使して　実務担当者からの解説

長倉真寿美　コミュニティ福祉学部准教授
岡田哲郎　コミュニティ福祉学部助教
坂無　淳　コミュニティ福祉学部助教

石巻の拠点は、３名の教員、長倉真寿美（２０１２年４月〜）、岡田哲郎（２０１２年７月〜リサーチアシスタント（ＲＡ）、２０１３年４月〜教員）、坂無淳（２０１４年４月〜）で担当しています。ここからは、引率・実務の担当者として石巻の活動の具体的業務、特徴と今後について解説をしたいと思います。

石巻拠点の実施体制

拠点担当教員（長倉）の統括の下、以前は実務担当教員（岡田）とＲＡ（荻生さん）で役割分担をしていました。荻生さん卒業後、現在はＲＡを補充せず、拠点担当教員と実務担当教員、そして新しく石巻拠点担当となった坂無とで業務分担をし、プログラムの運営にあたっています。

プログラムの定型化と、介護事業所という独自性

派遣前の業務としては、①活動日程・定員・引率教員の確定、②現地との調整、プログラムの決定、

③ガイダンス資料の作成、④募集受付、名簿管理、ガイダンス案内、⑤宿の確保があります。以前は現地ニーズの把握も兼ね、様々な活動をプログラムに組み込んでいましたが、現在、初日被災地域の視察はプログラムの定形化が図られています。これは参加者として、定点観測的に「現地の変化に気づける」メリットがあると感じています。リピーターの継続的な目線と初参加者のフレッシュな目線、双方から気づきが交換されるよう、振り返り時には特に意識をします。

課題のひとつとして、大学内でも「風化」が進んでいるのか、徐々に募集に対し参加者が集まりにくくなっています。石巻拠点としては「初めてでも参加しやすい活動」とアピールすること、またなぜこのプログラムが「復興支援活動」であるのか、その意義を伝えることがより必要な段階となっています。一方、最近では介護資格を持っている学生や福祉実習を終えた学生の参加が増えてきました。「介護事業所を通じて見る被災・復興の現実」という側面を、本拠点の独自性として打ち出すようになったことはここ最近の変化と言えます。

学生同士の話し合いを重視するガイダンス

①自己紹介、②プログラムの説明、③事務連絡（持ち物・切符購入等の連絡、助成手続き、注意点等）、④学生企画の話し合いを行います。

ガイダンスは、②③の情報提供部分と、④の話し合い部分の2部構成で進めています。主体性をもって参加してもらえるように、特に②の情報は丁寧に伝えています。具体的には、石巻市の基本情報（人口、歴史・産業、広域合併の影響、等）、被災・復興状況、めだかさんのこれまでについて、活動の経緯・スタンス、今期プログラムの目的について、等です。また、「小規模多機能型居宅介護」の基本説明、めだかさんでお世話になる職員さんの紹介等も行います。③の事務連絡について、「現地の方の心情に配慮して自らの振る舞いを意識すること」、「現地で災害が起きた時の対応について」は活動初期に強調してアナウンスをしていましたが、これは震災から5年が経ち、「風化」や「復興格差」が目立ち始めた今だからこそ、改めて意識されるべきポイントかもしれません。

④については毎回、めだかさんから季節の行事（納涼祭、クリスマス会）の一部、または日常のレク活動を「立教大生の企画」として任せてもらっています。ここは学生達の腕の見せ所であり、当日に至る準備を通じて活動の動機づけやチームワーク形成も図っていきます。「学生に過重な負担がかからないか」「どこまで情報提供、介入をすべきか」等迷いますが、そんな心配をよそに、毎回本当に学生は一生懸命準備をしてくれます。最低限の進捗管理とサポートのために学生リーダー（教員と学生とのパイプ役）を決め、この部分はほぼ学生に委ねる形をとっています。

社会全般には「風化」が指摘されますが、①の参加動機を聞くと、参加者のモチベーションは総じて高いです。特に最近の傾向としては「ずっと関心はあったけれど、一歩を踏み出せなかった」学生が多く、そうした「一歩」を尊重し、参加者個々の成長を支えることが、長い目で見ての現地の復興、いずれ来ると言われる首都直下型地震後の対応にもつながっていくと考えます。「平時に出来ていないことが震災時にできるわけがない」というのは、震災を経験した多くの方々からお聞きした、貴重な言葉です。私達首都圏に住む人間もこの言葉を肝に銘じて実践していく必要があります。

キーワードはKeep・Problem・Try

現地活動は、主に①視察、②交流活動、③現地振り返りに分けられます。

①では、写真を見ながら震災当時のことを想像し、モードチェンジを図ってから実際にその場所へ向かうようにしています。現地を案内してくださる千葉孔三さんは、「被災地としての石巻」の根底にある地域の豊かさ、地元の方しか語れない震災の現実・心情を私達に伝えてくださいます。石巻ＮＥＷＳéeの武内さんは、地域の生活に足場を置くジャーナリストの立場から、その時々の現地の状況、「復興とは何か」を深く考えるヒントをくださいます。こうした初日の時間を踏まえ、２日目・３日目の交流の時間を過ごしています。

門脇小学校の視察

③の現地振り返りは、Ｋｅｅｐ（復興が進んでいる所、自分自身の良かった点）、Ｐｒｏｂｌｅｍ（復興の課題、自分自身の課題）、Ｔｒｙ（自分達に何ができるか）の枠組みに沿い、その日に感じたＫとＰをカードワークで共有し、教員からフィードバックする形で行っています。振り返りは短時間で集中して行うこと、学生同士でまず意見交換した後の方が、教員のメッセージも伝わるように感じます。

現地活動終了後、振り返り記録を事前に提出し、体験がある程度熟した段階で、主に「自分達に何ができるか（Ｔｒｙ）」を話しあいます。この方法を使うことで、学生の意見をうまく引き出すことが出来ていると感じています。そして、活動でお世話になった方々へ御礼の気持ちを伝え（色紙の送付等）、当期の活動が終了となります。

現地の受け入れ拠点、現地コーディネーターの力

石巻の活動の主な特徴として、①高齢者介護事業所であるめだかさんを拠点とした継続的な活動である、②寄り添い、求めに応じるというスタンスをとっている、③復興支援であると同時に学びの機会であることを意識しているということが挙げられます。

カードワークでの共有

震災から間もない頃は、全国から支援物資の近隣住民への配布や仮設住宅への引っ越しの手伝いなどの具体的な支援要請があり、それに応えることに注力しました。その後は、「何かあったら支援をお願いしたい」「細く長くつながっていきたい」という希望が伝えられるようになりました。もっと何か出来ることはないか、私達の活動はこれでいいのか、正直迷いや葛藤もありました。石巻市役所や社会福祉協議会の職員、現地で継続して活動しているＮＰＯ団体の方々に現地のニーズや私達に出来ることはないか相談したこともありました。しかし、遠く離れた地に住みながら出来ることには限りがあること、また現地の方々にとって全国の様々な地域から来る人々の言動が、必ずしも助けになっていない現実もあることを知りました。そして何よりも現地の方々の気持ちを尊重するのが大事だという結論に至りました。そこで、復興の一助となるような活動の追求は継続しながらも、現地のニーズを第一に考え、常に寄り添い、求めがあったら手助けできる体制・関係づくりに専心しています。

石巻拠点活動の安定要素として、「現地に受入拠点（めだかさん）があること」「現地コーディネーター（石山奏一さん、荻生さん）の存在」は欠かせません。

高齢者福祉の現場であるめだかさんに継続的に行くことは、コミュニティ福祉学部の教育としても良い機会になっていますし、スタッフや利用者さんと毎回時間をかけてゆっくり会うことができます。そのことで、信頼関係をつくることができていると感じます。さらに、石巻が「知り合いの何々さんの住んでいる石巻」として感じられるようになります。これは、私達が震災からの復興を考える際、抽象的な議論だけではなく、自分が知っている何々さんの生活にとって、震災からの復興とはどういうことか、具体的に考える想像力を持つことに繋がります。

自分のこととして捉え、考え、行動できる人材育成につなげて

復興支援の活動をしているというのは、私達教員や学生達が学びの場や機会を与えられているということでもあります。千葉さんからは、震災前の石巻の歴史や様子を説明してもらっており、それまで人々の生活があった石巻に震災があったことが強く感じられます。そして、石巻の出来事は他人事ではありません。当時何があり、今何が起こっているのかを学び、自分たちがやるべきことを常に考え、行動する。そんな学生を増やしていくことが私達教員の使命であると考え、この活動のもう一つの柱に据えて

います。

石巻に行く度に、地域を歩き、人々の話を聴き、感じたこと、考えたことをお互いに率直に話し合っています。学生からの感想で多いのが、「今後も復興支援の活動に関わりたい」「周囲の人に被災地のことを伝えたい」「自分の暮らしている地域について、社会について、意識的に考えるようになった」という意見です。これらのコメントからも分かるように、実際に現地を訪ね、人々と触れ合い、感じ、考えることが様々な教育的効果、学生の成長を生み出しています。活動からの学びを記憶と記録として積み重ね、自分達の生活も見つめ直すということも重要な学びとなっています。

また、このような体制を続けてきた中で、活動開始当初学部の学生だった女性が、長く通っている間に石巻のことが大好きになり、今は石巻市民として、めだかさんの職員として働いています。それが前段に登場した荻生奈苗さんです。彼女の存在は、復興支援の活動が、平時から人と人とのつながりを大事にし、世の中で起こっていることを自分のこととして捉え、考え、行動できる人材の育成につながったことを実感させるものです。

今後の活動としては、めだかさんから、新たなコミュニティづくりや事業の展開のアイデアなど、専門的観点からのアドバイスも欲しいというニーズがでてきています。コミュニティ福祉学部の復興支援活動としては、従来のような学生を引率していくという形態をとっていくのは、２０１６年度をひとつの区切りとして考えていますが、コミュニティ福祉学部の教員として、私達が持つ高齢者福祉、地域福祉等に関する知識やこれまでの経験を駆使し、事業所や地域が力を取り戻し、コミュニティの再生につながるための活動を、側面支援していきたいと考えています。

Ⅱ―5　いわき交流プログラム（福島県いわき市）

薄磯地区にある豊間中学校　2014 年 3 月

福島県いわき市は、福島県の東南部にあります。太平洋岸一帯は「浜通り」地方と呼ばれており、東日本大震災で福島県は津波・地震被害に加えて、原発事故による放射線の被害があります。

写真の薄磯地区は、いわき市内で最大規模の８・５メートルの津波により１１６人が亡くなった場所です。震災前は２８３世帯、７８７人が住んでいたので、７人に一人が亡くなったことになります。震災後、薄磯の人々は、小学校などの避難所や仮設住宅、みなし仮設住宅に住んでいましたが、２０１４年６月に災害公営住宅である薄磯団地が建設され、住民が戻ってきましたが、その数は元の7~8割であり、他地区からの転入者もいるためにコミュニティの形成が課題となっています。

また、いわき市の北部には、原発が立地している双葉郡があります。双葉郡は広野町、楢葉町、富岡町、大熊町、双葉町、浪江町、葛尾村、川内村の８町村からなり、福島第一原発は双葉町と大熊町の境に、福島第二原発は富岡町と楢葉町の境に位置しており、原発事故により双葉郡８町村からいわき市に２万４０００人が避難しています。特に、双葉町や大熊町の大部分は「帰還困難区域」と指定されており、帰還のめどはたっていません。私たちは、いわき市南台にある双葉町社会福祉協議会のサロン「ひだまり」でも交流活動を行うとともに、双葉町社会福祉協議会の方々から学んでいます。

今後は、いわき市において、原発立地地域である双葉郡の人々が共に暮らしていけるように支援することも当地の課題となっています。

（熊上　崇）

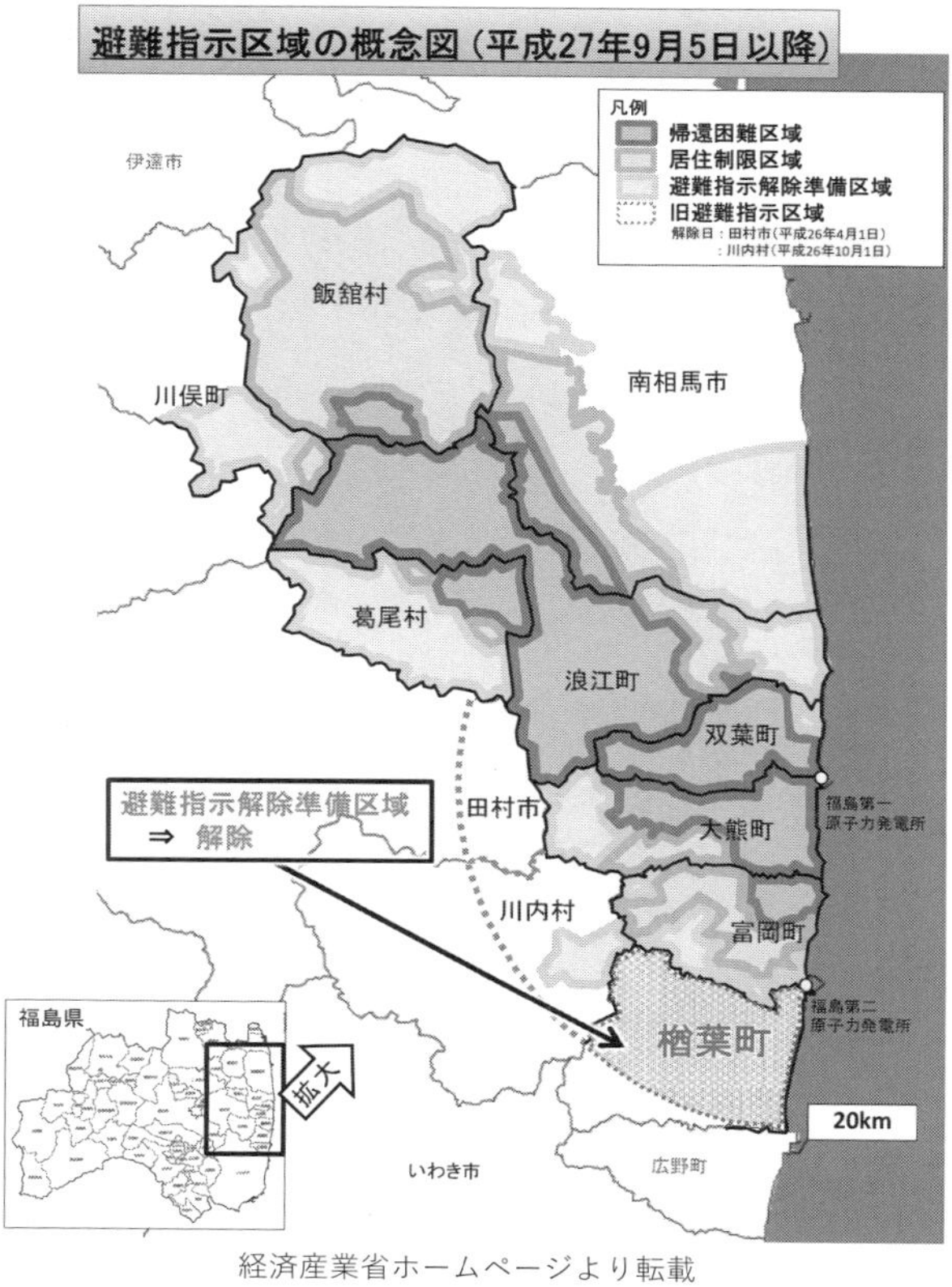

経済産業省ホームページより転載

住民の方たちと楽しい時間を共有

いわき交流プログラム活動紹介

大和田晴香
復興支援推進室スタッフ・大学院生

いわき交流プログラムは、2014年10月から第1期の活動が始まり、2015年11月の時点では第7期まで活動が行われ、のべ67名の学生が参加しました。私たちはいわき市の薄磯《うすいそ》という地域を訪れ、住民の皆さんと交流しています。薄磯は人気の海水浴場があり、太平洋を一望できる塩屋埼灯台が有名ですが、東日本大震災によってとても大きな被害を受けた地域です。ここでは1年間の限られた期間ですが、私たちの活動について紹介します。

塩屋埼灯台

花壇の花植え　～災害公営住宅に彩りを～

春の訪れが待ち遠しい2015年3月。津波被害を受けた薄磯には、災害公営住宅（団地）が建てられていましたが、団地は真っ白な外観で、どこか寂しい印象があるとおっしゃる住民の方もいました。そこで、花を植えて住宅内に彩りを加え、明るい雰囲気を作ることにしました。色とりどりの花がどのような配置だときれいに見えるか、住民の皆さんと話し合ってハート型に花を植えました。花を植えてから2か月が経った5月、私たちは再び薄磯の団地を訪れました。花壇の花は、冬の寒さと潮風に耐えてきれいに咲き続けていました。それは何より、住民の皆さんが住宅内の彩を保つために、毎日花の手入れをしていたからです。現在も花壇やプランターに植えられた花が、住宅内に彩りを添えています。

木製ベンチ製作　～憩いのスペースづくり～

薄磯の団地には、住民の方々が集まるためのスペースとして、集会所があります。しかし、いつも開いているというわけではありません。そこで、住民の皆さんと話し合い、住宅内でちょっと休憩したり、話したりすることができる場として、ベンチをつくることにしました（2015年3月）。

ベンチは木材を電動ドリルで組み立ててつくります。しかし、立教生は誰も電動ドリルを使ったことがありません。そのため、住民の皆さんに使い方やコツを教えてもらいながら一緒に作業を進め、木製ベンチを二つ作り上げることができました。その後も住民の皆さんによってベンチがいくつかつくられて、住宅内のあちこちに置かれ、憩いのスペースとして活躍しています。

団地で花を植える

薄井神社例大祭　～地域の伝統文化に触れる～

薄磯では、２０１５年5月に伝統的な例大祭が催されました。しかし、震災前に比べて子どもや若者が減少し、神輿の担ぎ手も少ないという状況です。そこで、男子学生が住民の皆さんと同じ法被を借りて、神輿を担ぎました。

例大祭の開催にあたって、ある住民の方が、「ようやくここまで来た」と感慨深く話していた姿が印象的でした。例大祭では多くの住民が集まったので、薄磯の歴史や伝統を知ることはもちろんのこと、伝統文化の継承のお手伝いが地域のつながりを生みだすことを実感しました。

住民の方たちとベンチをつくる

夏祭り　～災害公営住宅ではじめてのお祭り～

薄磯の団地では、自治会設立後、様々なイベントが行われてきましたが、２０１５年8月には、夏祭りが初めて開催されました。夏祭りということで、たくさんの住民の方々が集まり、一緒に食事やゲームやカラオケを楽しみました。会場となった団地集会所の周りは花で彩られ、住民の皆さんがベンチに座って談笑したり、食事を楽しんだりする姿がみられました。

立教生はかき氷とポップコーンの販売、子ども向けアトラクション（ストラックアウト、輪投げ）の得点係、ビンゴ大会とカラオケの司会を担当しました。かき氷やポップコーンは、薄磯で海の家を経営していた住民の方が、うまくできずにとまどっている学生に「こうやってやるんだよ」と笑いながら操作の方法を教えてくれました。その後、団地の子どもたちも一緒にかき氷を作りました。

海に入る薄井神社の御神輿

夏祭り「かき氷どうぞ」

看板づくり　～集会所までの道案内～

薄磯の災害公営住宅の集会所は、住宅の入り口から一番奥に建っています。場所が分かりづらいという意見もあり、２０１５年９月には住民の皆さんから依頼を受け、団地の案内看板作りを行いました。団地内を見て周り、どうすれば見やすく楽しさが伝わる看板にできるか話し合いました。また、住民の方からの、色彩豊かな看板にしてほしいというリクエストをふまえてデザインを考えました。

看板は全部で３つ作成しました。１つ目は、災害公営住宅の入り口から集会所までの道案内看板。薄磯が海水浴場で有名であったことや、「うにの貝焼き」という名産品を生かして、海をモチーフにデザ

団地の案内看板を作って設置

インしました。２つ目は、集会所の看板。明るく分かりやすい、住民の皆さんや子どもたちが一緒に作成できるデザインを考えました。３つ目は、薄磯の団地の看板。大まかなデザインだけ決め、色などは住民の皆さんや子どもたちが好きなように決めてもらい、子どもたちと一緒にペンキで塗ったりして、作り上げることができました。

完成した看板は、住民の皆さんが工具を持ってきて一緒に設置しました。

木製ベンチにペイント　～子どもたちと団地のオアシスづくり～

２０１５年3月につくったベンチに色を塗ることになりました。薄磯の海や自然をイメージし、水色や緑などの色を使ってペイントしていきました。住宅に住む子どもたちも集まって一緒に刷毛を使ってペンキを塗ったり、絵を描いたりしましたが、中には葉っぱを使ってかわいいデザインを描いた子もおり、そのアイデア力に驚かされました。

薄磯に何回も足を運んでいると、子どもたちが自然と私たちのところへ来てくれるようになり、初めて訪れた時に比べて、一緒に遊んだり、何かを作ったりする機会が増えました。これからも子どもたちが考えていることや、持っている力を発揮できるような機会を作り、「楽しかった」と思ってもらえる時間を共有していきたいです。

子どもたちとベンチにペンキ塗り

東日本大震災を知る　～実際に見て、聞いて、感じる～

薄磯では、災害公営住宅の住民の皆さんや、地域に住む方々と交流しています。多くの方が、震災時の状況や自身の被災経験、現在の生活などについて私たちにお話してくださいます。また、被災した場所を訪れ、住宅や学校があったという震災前の状況を思い浮かべながら、津波の被害を感じます。

住民の皆さんは、「これからの薄磯」についてもお話ししてくれます。防潮堤や防災緑地、高台移転など、防災や減災のために様々な整備がなされていくなかで、薄磯をどのような地域にしていくのか。それを考えるうえで、住民の皆さんは私たちのような地域に住んでいない〝外〟からの声も必要としているそうです。

私たちは交流を通して、東日本大震災や災害からの復興、コミュニティ形成などについて知り、学ぶことができます。そして、交流して学んだことを忘れず、周りに伝えていくことが大切です。

薄磯の皆さんは、私たち学生をいつも笑顔で迎えてくださいます。だからこそ、「また行きたい」と思うことができますし、ずっとこの縁を紡いでいきたいです。

いわき交流プログラム参加学生の声

★私はこれまでに3回いわき交流プログラムに参加し、薄磯地区を訪れていますが、「復興支援」をしている実感がないです。

薄磯地区での活動といえば、ベンチづくり・色塗り、祭りへの参加、花植え、鍋づくり、子どもと遊ぶ…どれも支援活動ではない気がします。ベンチづくりでは、木材は用意してあったのであとは電動ドライバーでネジを締めるだけでしたが、経験のないことなので住民の方に教えてもらいながらの作業でした。鍋づくりも、鱈をさばいてくださるのを見守り、学生は食材を煮るぐらいしかやってないです。このように色んなことを経験し、行く度に「楽しい時間」を過ごさせていただいています。

しかし最近、この楽しい時間の共有こそが「支援」の第一歩だと気づきました。道路の整備などのハード面は進んでいる今、立教が行っているようなソフト面の復興支援（＝心の復興）が求められています。この「心の復興」は目に見えず、すぐに効果が出るものではありません。だからこそ、住民の方と過ごす時間の一瞬一瞬が大切だと感じています。

嬉しいことに、最初は警戒してものすごく遠くから私たちを見ているだけだったのに、何度か行くうちに子どもたちが名前を覚えてくれていました。このように子どもを含め住民の方々との関係性を強くしていくことが、心の復興にもつながっていくのではないでしょうか。私には震災の悲しみを直接癒すなどの特別なことはできませんが、これからも出会った一人ひとりと楽しい思い出をつくっていきたいです。

★私は福島県いわき市出身です。しかし、東日本大震災が起きた当時、私はいわき市にはいませんでした。だから、出身地でありながらも、いわきに住む様々な方々との交流を通して初めて知ることがたくさんあります。また、他の立教生のみんなと一緒に行くことで、いわき市の良さや魅力に気づくことができました。

「被災地」という言葉がありますが、私にとっては地元であり、家族や親戚、友人、交流プログラムを通じて出会った方々が住む大切な場所です。

将来的な「まちづくり」こそ被災者支援のゴール

遠藤崇広
NPO法人3・11被災者を支援するいわき連絡協議会（みんぷく）

「みんぷく」は、2011年3月11日に発生した東日本大震災後に被災者および被災地を支援する任意団体が集結して組織されました。津波および原発事故避難者が生活する仮設住宅での相談や自治会設立、住民交流会開催など主にコミュニティ構築の支援やボランティア団体の活動コーディネートなど様々なニーズに沿った支援活動を展開しています。

大学との連携による支援活動

被災地における復興支援において、外的刺激は非常に貴重です。特に高等教育機関からの知恵やアイデアは、必要です。被災地の住民が何かに取り組みたいと考えてはみるものの、現実的に人手や資金の確保を考えると、実現性は低下してしまいます。そこで、我々のような支援団体が資金確保や住民ニーズをヒヤリングし、コーディネートする。そして大学が活動できる人材やアイデアを提供するというタッグは、理想的だと考えます。また学生にとっても実践と実験ができる場所や機会としても、大いに活用できるフィールドであるでしょう。

支援活動のコア地域となっている薄磯区では、観光による地域復興を図りたいという考えがあり、支援活動で訪れた立教大学観光学科の1年生が、鈴木幸長区長から海水浴客で賑わった震災前の話を聞き、また7メートルを超える防潮堤と高台が数年後に整備された後、観光客をいかに呼び戻すかという課題があり、在学中にどのような支援活動ができるかを話していました。その姿を見ると、被災地の復興に学生が関わることの意義と有効性を実感します。

彼等が積極的に地域復興やコミュニティ構築に関わることで、地域住民だけでなく、若い世代が地域に魅力を持たせ、移住者を呼び込むことで地域復興が進み、震災を機に新たな街へ生まれ変わるきっかけになるでしょう。

今後の支援活動に求められる大学と学生の力

最近の被災地におけるコミュニティづくり支援活動を通じて、将来的な「まちづくり」こそが、被災者支援のゴールなのではないかと考えるようになりました。安心・安全に暮らせる街と環境があるからこそ、そこにコミュニティが生まれるのであり、団地や地域住民の交流会だけがコミュニティ支援ではないと痛感します。そう考えると、コミュニティ支援とは、広範囲でダイナミックな見地と知識、そして多くの応援団（支援者や支援団体）が求められると実感します。

津波被災地の復興が進む中で、予想しない課題が次々と出てくることは、現状からみて容易に想像できます。その際、地元の住民だけでは、そのスピードに対応することができず、課題を解決できないままに停滞することもあります。特に長期戦が予想される現状では、「創造力」「行動力」そして既得権益やしがらみに左右されることなく現状を突破していく為の「突破力」に柔軟性や未来を考え創造していく「思考力」を持つ学生のマンパワーが、大きなキーポイントになるでしょう。

いわき市民のひとりとして、また被災者の声を代弁して、大学との密接な関係を構築し、総合的なご支援をいただければと考えています。また学生にとって当地の復興モデルが、学生の実学の場として、体験・実践できるフィールドになってくれることを希望し、その為のコーディネートをしっかりしていきたいと考えています。また、今まで支援活動に参加していただいたＯＢやＯＧにも、引き続き支援活動へ関わって欲しいとも思います。卒業後、実社会で培ったことを支援活動と被災地の復興の一助として生かして欲しいとも考えています。

今後も引き続き、当団体としては刻々と変化する被災者支援ニーズに対応できるように、継続的に活動に取り組む所存です。立教大学とは、今後も長いお付き合いをさせていただき、被災地の復興をサポートしていただくことを切に願っております。

薄井神社例大祭で住民のみなさんと　2015 年 5 月（撮影：岡博大）

自治会・現地中間支援組織・大学等の連携によるコミュニティ形成支援

熊上　崇
コミュニティ福祉学部助教

活動のきっかけ～現地中間支援組織と共に～

いわき市で支援活動をしようと考えた２０１４年の夏、私はいわき市中央台にある「みんぷく」の事務所を尋ねました。

「みんぷく」は、事務局員はじめコミュニティ交流員が災害・復興公営住宅の住民をたびたび訪問し、自治会役員選びや、住民が集って交流できる夏祭りなどの自治会活動の支援を行い、この活動を通じて、被災者同士のコミュニティを作っていく活動を実施していました。

実は「みんぷく」にたどりつくまでに、私は何度か他の支援団体や仮設住宅の自治会を訪問していたのですが、支援活動のプランがたてられませんでした。例えば、地元の支援団体と一緒に仮設住宅でのコミュニティ作りに参加しようと思ったのですが、住民と交流せずに学生だけで草刈りなどの作業を依頼されたり、ある自治会では、原発事故のあった双葉郡からの避難者について「働きもしないでお金ばかりもらっている」などと悪くいう人もいたのです。このような場所では、コミュニティの形成を支援する活動が難しいと感じていたのですが、「みんぷく」では被災者や災害・復興公営住宅でのコミュニティ作りのために、積極的に住民の方々と関わっている様子を見て、一緒に活動すれば、現地のニーズに見合った活動ができると考えたのです。

２０１４年2月にいわき市の薄磯団地を訪れ、団地の自治会ではじめての行事であった「餅つき大会」に参加したのですが、その時の大河内自治会長はじめ自治会の役員や住民の皆さんが暖かく迎え入れて下さり、ここで継続的におつきあいしたいと感じたのが、何よりのきっかけでした。

支援のトライアングル

「餅つき大会」を実施するにしても、薄磯団地自治会はできたばかりで、臼や杵もありません。そこで、餅つきの道具は現地支援団体の「みんぷく」が用意しました。住民の皆さんたちが総出でテントを張ったり、つきたての餅にきな粉をまぶしたりして楽しそうにお話ししているのが印象的でした。ここで、自治会・住民・みんぷくというトライアングルに私たち立教大学が入ること（次ページの図を参照）、そして若い学生たちがこのトライアングルを盛り上げて、自治会や住民や皆さんの元気を引き出す（エンパワメント）ことを目標にしていこうと考えました。

このトライアングルに参加することは、いくつかのメリットがあります。まず住民や自治会、行政区の皆さんにとっては、支援団体や外部からの大学が来ることで、人が増えて活気が出ることや、イベントの道具などを借りることができます。また外部からの参加者がいることで、逆に住民同士がまとまって団結します。

現地の支援団体にとっては、大学と連携することによって、人が増えてにぎやかになります。大学側としては、日常では自治会や住民との接点がないので、どのように参加すれば悩むところですが、活発

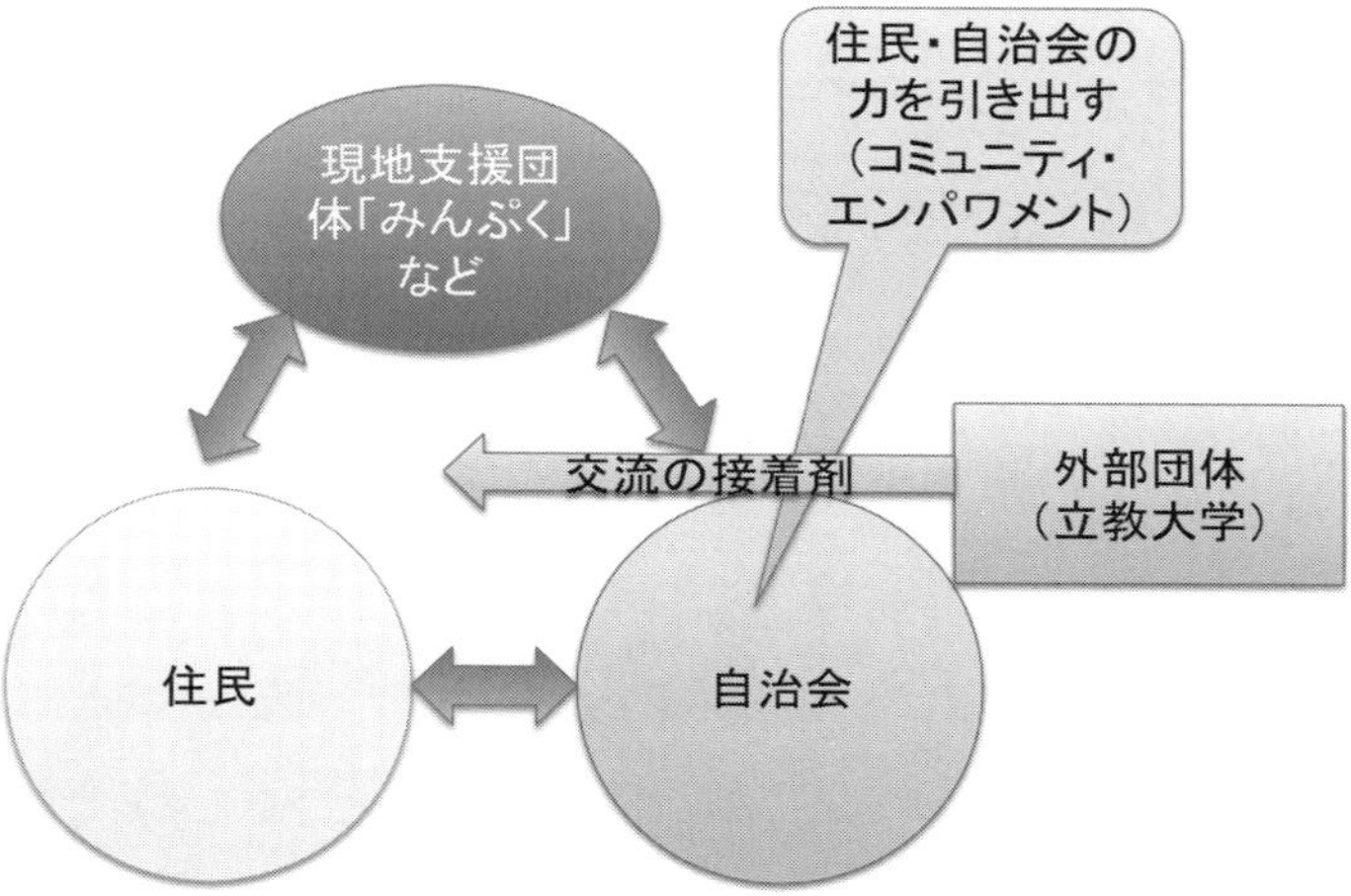

支援のトライアングル（筆者作成）

にニーズ調査をしている現地の支援団体が間に入ることで、住民や自治会から求められ、喜ばれる活動となります。

また、学生にとっては、住民の皆さんと食事をしたり、イベントの設営をしながら住民の思い、震災の体験談などを直接聞くことができ、テレビやニュースだけでは分からない現場での学びをすることができます。また、現地の子ども達と大学生が遊ぶこともできます。

このトライアングルによる活動は、継続的に行うことが大事だと考えてきました。なぜならば、最大の目的は支援することではなく、住民の皆さんが薄磯地区や薄磯団地に愛着や誇りを持ち、住民同士が交流できる機会を増やすことが大事だと考えるからです。

支援されることが「支援活動」

いわきでの活動で感じたのは、あくまでも「主役は地元の皆さん、地元のことを学生は教えてもらう」ことが、相手の立場にたった支援活動になるということでした。復興支援室の活動は、タラ汁を作ってもらったり、イス作りを手伝ってもらったりと、支援されっぱなしで、これのどこが「支援活動」なのかと思われる方もいるでしょう。しかし、支援といっても、さまざまな形があります。

災害の初期では、力仕事や専門的な技術による援助が必要です。「生活再建期」では、住民が新しい生活基盤において、交流を深めて孤立をなくし、力を合わせることのできる機会を提供することが、支援になります。

その意味では、レストランのシェフが料理を作って提供するような「提供型」「持ち込み型」の活動ではなく、現地の方に郷土料理を作ってもらい、みんなでそれを見て感動し、味わうというプロセスこそ、地域に活力が出る支援になるでしょう。

例えば、２０１５年3月の活動では、ベーリング海で長年サケマス漁をしていた薄磯団地の自治会役員が、ご自宅から包丁などの道具を持ってきて、さばく様子を見せてくれました。やはりプロの技は違います。学生も驚いて写真をとったり、遠洋漁業の生活について質問していると、その方の自信に満ちた笑顔を見ることができました。

タラをさばく住民と驚いて見つめる学生

住民の皆さんは、それぞれがその分野でプロであった方々です。特技を発揮してもらい、それを感動で共有することで、生き生きとした感覚がよみがえり、活力が出るのであれば、それが支援の一つです。ベンチ作りや、看板作りにしても、プロの職人が作ってプレゼントするのではなく、地域の住民や子ども達と一緒になって作りあげて、地域に愛着が持てるようにすること、つまり、何かを与えるような提供型活動ではなく、受け取り、分かち合い、響き合う、そして地域の皆さんに自信や愛着が湧いてくる「エンパワメント型」の支援が必要であると感じられます。

持続可能な支援・交流活動にするために～自治会を中心に多機関との連携～

支援・交流活動は、単発ではなく息の長いおつきあいにすることが望まれます。つまり、持続可能な支援・交流活動にするための仕組みを考える必要があります。たとえば担当者が異動したり、病気などの事情でいなくなっても、その交流活動が続けられるように、個人レベルだけでなく、連携機関同士のつながりを強固にしていく必要があるでしょう。

薄磯地区における活動は、前節で述べたように、薄磯団地自治会と現地支援団体の「みんぷく」との関わりが基本になりますが、その他にも、薄磯区という行政区の皆さん、福島県庁いわき地方振興局、トヨタ財団や住友商事などの民間企業・ファンドとの連携も行っています。

薄井神社例大祭などの地区の行事は、団地の自治会だけでなく、行政区との連携も必要です。行政区との連携がうまくいくことで、交流に加えて復興まちづくりへの行事などへのお手伝いをすることができます。たとえば、２０１６年2月には薄磯地区の宅地造成地の交流会のお手伝いとして、造成地を見学に来た薄磯の皆さんを、地区役員と学生が共におもてなしをしました。

行政機関との関係は、福島県庁いわき地方振興局から、活動当初より学生へのレクチャーをしていただいたり、２０１５年11月にいわき市で行われた避難者や支援団体が集まる「大交流会」に招待されて他の支援団体との交流を深めたり、薄磯団地などで学生たちが活動する際に同伴してくださり、福島県の現状や復興政策について話し合いをしています。

また、トヨタ財団や住友商事などの民間企業・財団からは、災害・復興公営住宅での支援に関する現状や他の被災地区のノウハウを学ぶ機会を得たり、薄磯団地で開催した映画上映会では、助成金をいただいている住友商事の担当者が映画部門にいたことから、映画上映の許可を得たなどの関係があります。

このように、住民を主体として、大学と自治会、現地支援団体のトライアングルを基本としながら、行政区や行政機関、民間企業などとも連携を深めることで、担当者が入れ替わったりしても交流・支援活動ができるような仕組みにすることが、長期的にみて現地と大学がつながる息の長い活動になるのではないかと感じています。実際に、米国では「みんぷく」のようなＣＢＯ（Community Based Organization）と呼ばれる地域密着の中間支援組織が効果的と考えられ、１９９４年のノースリッジ地震でもＥＮＬＡ（Emergency network of Los Angels）という民間中間支援組織が行政と他の団体との間に入って効果的な課題解決を行ったという報告もあります。

原発事故を忘れない　双葉町との交流

最後に、いわき交流プログラムで定期的に訪問している南台仮設住宅地内にある、双葉町社会福祉協議会のサロン「ひだまり」での活動について紹介します。

双葉町は原発事故により放射線量が高く、帰還困難区域に指定されたため、町民は5年にわたり避難生活を続けています。双葉町民は、震災直後から川俣町、さいたまスーパーアリーナ（２０１１年３月末まで）、その後埼玉県加須市の旧騎西高校で１４００人あまりが避難生活を送っていました。その様子は映画「フタバから遠く離れて」に詳しく描かれ、町役場ごと加須市に移りました。しかし、避難所から次第に出て行く人が増え、福島県いわき市に避難する町民が多くなり、２０１４年３月には、町役場もいわき市に移転しました。

原発事故が引き起こした被害は何よりも「コミュニティの分断」です。故郷に帰れる見込みがないなかで、双葉町民はいわき市、加須市などに分かれて住み、家族の離散も多くなっています。

私たちが訪問しているのは、いわき市南部にある南台仮設で、町役場から近く２５０戸ありますが、家を購入して転居する人が多くなり、今は半分程度になっています。双葉町民が入る復興公営住宅（団地）は完成が遅れて2年後が見込まれており、そうなると合計7年間も仮設住宅での生活になります。

南台仮設住宅の敷地内に双葉町社会福祉協議会が運営するサ

双葉町社会福祉協議会のサロン「ひだまり」にて

ロン「ひだまり」があり、仮設住宅の住民や、以前仮設にいて今は近隣に住んでいる双葉町民の方が、地元のコミュニティのつながりを求めて集まっています。

双葉町社協はこうした避難している町民のサポートをしているのですが、実は社協の職員も、家族と離れていたり仮設住宅で生活しています。つまり、原発事故地域では、サポートする側も、受ける側も、同じ避難生活をしているのです。

避難している双葉町の町民から、震災前の生活の様子や避難後の生活についてお話をうかがったあとは、双葉町社協の職員と座談会をしています。学生が「どんな気持ちで利用者さんに接しているのですか？」と訪ねると、田中所長が「ひだまりスローガン」を教えてくれました。これは職員の方が毎日復唱しているもので、そのうちの一つに「利用者さんは人生の先輩」というのがあります。ケアをする側、される側という意識があると、利用者が不快に思ったりトラブルも起きてきます。「利用者さんは人生の先輩」と考えることで、ケアをする・受けるという関係ではなく、互いに尊敬できる関係にすることが大事だそうです。

「ひだまり」における双葉町民の皆さんや、社協の職員から当時の思いや現状を聞くことで、あらためて原発事故のもたらしたコミュニティ分断の影響と、継続的な支援の大切さ、そして何より原発に依存していた生活や社会の在り方について考えさせられます。

双葉社協の方が私たちに問いかけます。

「もし明日、帰るべき故郷がなくなってしまったら、どう思いますか？」と。

「支援・交流」プラス「社会問題への行動」へ

震災から5年たちますが、復興や復旧にはまだ時間がかかり、支援や交流も必要とされています。そこで、住民の方々と楽しい時間を過ごすことで「また会いに行きたい」「また会えて嬉しい」と関係を作ることはもちろん大切です。しかし、こうした活動というものは、犠牲となった方々のことや、今も故郷に帰還できないという状況を忘れるわけにはいきません。

大学における支援活動は、現在の被災地が置かれている課題や、原発事故のもたらしたコミュニティ分断などを、現場で見て聞き・感じることで、「なぜ、震災から5年たって、多くの人が仮設住宅や災害公営住宅にいるのか」「なぜ、原発事故により故郷を離れて暮らしているのか」という現状にも目を向けたいと思います。

「交流」と「社会問題への視座」は復興支援活動における車の両輪です。私たちが支援活動で学んだことを社会に発信し、そして社会を変えていくことが、大学に所属する私たちにできる復興支援活動ではないかと感じています。

Ⅱ—6 新宿交流プログラム（東京都新宿区）東久留米交流プログラム（同東久留米市）

東日本大震災と福島第一原発事故は、狭い意味の「被災地」にととまらず、被災地から全国各地への広域避難を発生させることになりました。２０１５年11月12日現在においても、全国で避難生活を送っている18万６６０２人のうち、自県以外で避難生活を送っている方は、福島県から4万３７７６人、宮城県から６５８５人、岩手県から１４９８人となっています（復興庁ホームページ）。本プロジェクトでは、こうした広域避難者への支援として、福島県からの避難者が多く生活していらっしゃる東京都の新宿区と東久留米市において、それぞれ活動を行ってきました。２つの拠点の紹介に先立ち、ここでは、福島県における原発避難の経緯と、東京都における避難者の受け入れ経緯について示しておきます。

原発避難の経緯

福島県の避難者数は、最も多かった２０１１年６月時点で県内が約10万１０００人、県外が約6万２０００人に上り、現在も県内で約6万１０００人、県外で約4万４０００人が避難生活を送っています（復興庁ホームページ）。ここには原発事故による放射能被害の影響と、国からの避難指示が深く関わっています。

２０１１年3月11日の東日本大震災と福島第一原発事故の発生後、原発から半径３㎞以内の住民に対して避難指示が出されました。翌12日には避難指示が原発から半径20㎞以内に拡大し、浪江町・双葉町・大熊町・富岡町・楢葉町の5町が全町避難の対象になりました。また、15日には原発から半径20～30㎞圏内に屋内退避指示が出されています。同年4月22日には、原発から半径20㎞圏内の「警戒区域」と、その周辺に「計画的避難区域」「緊急時避難準備区域」が指定されました。その後、「緊急時避難準備区域」は２０１１年9月30日に解除となり、「警戒区域」と「計画的避難区域」は２０１２年4月から、早期の帰還をめざす「避難指示解除準備区域」、帰還まで数年以上かかる「居住制限区域」、5年以上帰宅できない「帰還困難区域」へと再編されました（これらの3区域も２０１４年4月以降に解除が始まり、２０１５年11月現在で田村市・川内村・楢葉町の「避難指示解除準備区域」が解除されました）。

また、国からの指示によって避難した人々以外に、中通りの郡山市・福島市や、浜通りの南相馬市原町区やいわき市など放射線量が比較的高い地域から、多くの人々が「自主避難」をしました。とりわけ小さいお子さんを抱えた家族が、母子で避難するケースが多いことが知られています。ピーク時の県外避難者6万人のうち、避難指示区域が約4万人、区域外からの自主避難が約2万人と推計されています。

このように、福島県の避難指示区域の内外から、数万人規模の人々が、福島県外へと避難することになりました。この受け皿となったのが、各都道府県における県営住宅・市営住宅などの公営住宅と、みなし仮設住宅（都道府県が民間賃貸住宅を借り上げて、家賃や敷金・礼金・仲介手数料などが国庫負担となる制度）です。災害救助法の適用のもと、避難指示区域の内外を問わず住宅が保障されました。ただし、避難指示区域の内外によって、東京電力による損害賠償の額などには格差も発生しています。

東京都における避難者の受け入れ

福島県からの県外避難者数の推移と、受け入れ先の上位10都道県の内訳をみてみると、関東地方の各県と新潟県・山形県で過半数を占めており、最も多いのが東京都です（図1）。福島県からのアクセスの良さや、首都としての利便性などが影響して、２０１５年11月12日現在でも５８５０人の福島県民が東京都で避難生活を送っています。

東京都における避難者の受け入れの経緯としては、震災・原発事故直後の3月に東京武道館・味の素スタジアム・東京ビッグサイトを、4月に旧グランドプリンスホテル赤坂を、一時避難所として開放しました。これらの一時避難所が閉鎖されるのと並行して、4月からは都営住宅および都内の国家公務員宿舎を順次開放し、避難者を受け入れました。当初は都営住宅・国家公務員宿舎の入居期限が「半年間」とされていましたが、延長がなされ、また7月以降に民間賃貸住宅も「みなし仮設住宅」の対象となって、現在に至っています。東京都が２０１５年2～3月に実施した都内の避難者アンケートによると、現在の住居として最も多いのが「仮設住宅（公営住宅・国家公務員宿舎等）」（55・3％）で、次いで「自己負担による住宅（購入・賃貸等）」（17・7％）、「仮設住宅（民間賃貸住宅）」（16・6％）、「親類・知人宅」（6・7％）の順となっています。

本プロジェクトが活動を展開している拠点は、新宿区の都営百人町アパート、東久留米市の国家公務員宿舎東久留米住宅で、それぞれ２０１１年以降に避難者をまとまって受け入れてきた集合住宅です。ただし、東京都では当初、都営住宅・国家公務員宿舎に避難指示区域からの避難者を優先的に受け入れて、その後に区域外の避難者にも開放したという経緯があり、受け入れ時期が早かった百人町アパートには区域内・外の方が居住し、遅かった国家公務員宿舎東久留米住宅では区域外からの方のみが居住する、という分布になっています。

このような背景のもとに、本プロジェクトでは新宿拠点と東久留米拠点の2か所で活動を行ってきました。次ページからは、2か所の活動の詳細をご紹介します。（原田　峻）

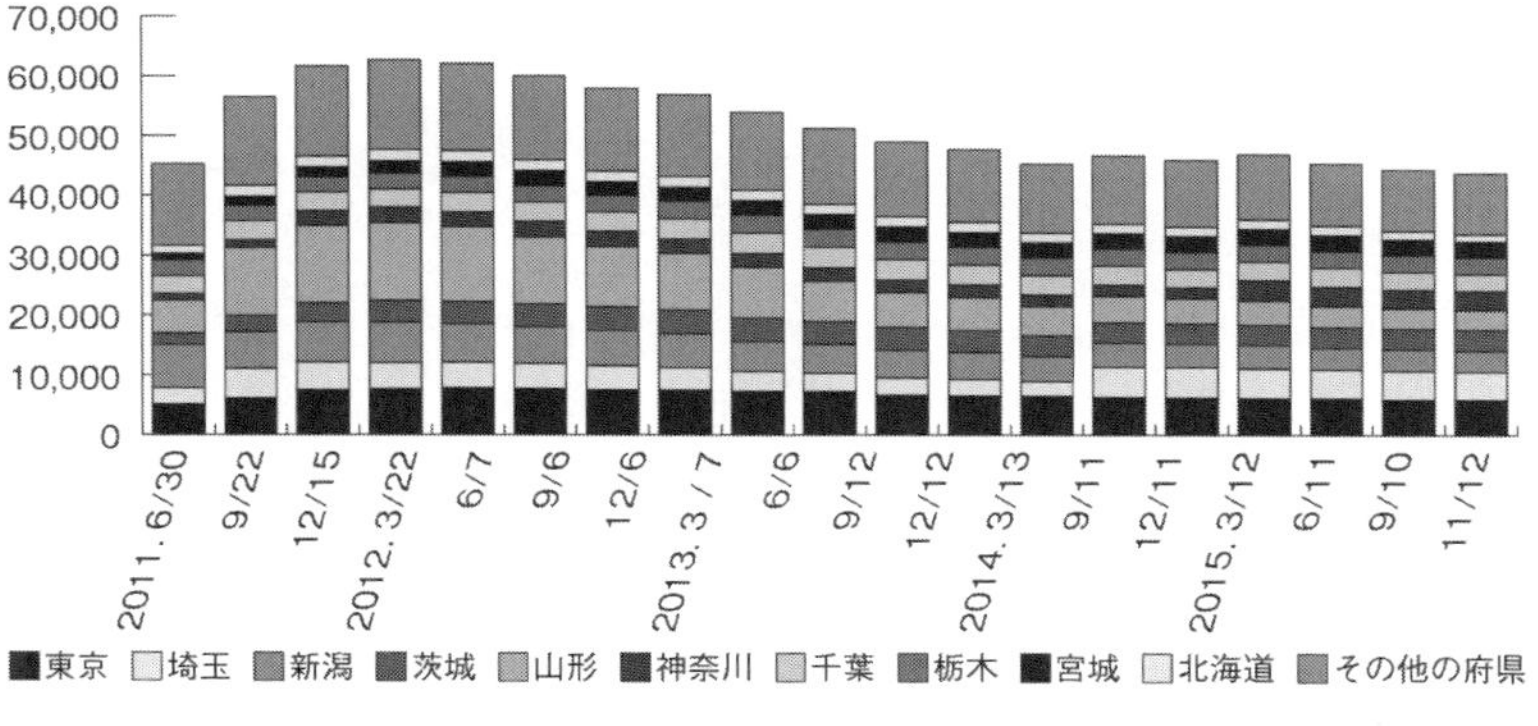

図1. 福島県の県外避難者数の推移（復興庁ホームページ掲載データより筆者作成）

避難者支援から「在住支援」へ

新宿交流プログラムの紹介

大口達也
復興支援推進室スタッフ・大学院生

新宿拠点では、東京都新宿区の百人町4丁目、とりわけ都営百人町4丁目アパートを中心として、この都営団地に避難されてきた約200名の避難者の方々に向けて活動を展開してきました。避難者の方々の地元は9割が福島県、宮城県や岩手県から避難された方もいました。活動のさきがけは早稲田大学の学生団体と新宿区社会福祉協議会が、2011年8月に都営団地の集会室で寺子屋を実施したことで、立教大学のプロジェクトとしての関わりは、その年の12月に新宿区社会福祉協議会からの要請を受けてスタートしました。

当時、新宿区社会福祉協議会からは、避難してきたことを「知られたくない」という気持ちが多くの避難者にあり、一方で避難先の都営百人町4丁目アパートの地元住民としては「知らない」「どうしたらいいかわからない」という気持ちがあり、避難者の「孤立化」が課題になっていると説明がありました。とりわけ、避難者の子ども達は学習のニーズだけでなく、友達づくりが必要であることが、寺子屋の活動を通じて把握されていました。

課題解決に向けた避難者支援の具体的方法

　新宿で避難者支援を展開するにあたり、早急に行われたのが体制づくりでした。新宿区社会福祉協議会からの要請を受けた本プロジェクトでは、活動拠点が東京都内であることの利点を活かすべく、当時、岩手県や宮城県を中心とした被災地支援で関わりのあった都内の大学の学生団体（東洋大学、法政大学、学習院女子大学、文教大学等）に呼びかけ、さきがけの早稲田大学の学生団体も含めて、学生団体の支援ネットワーク（JoyStudy Project）を1か月でつくりました。新宿区社会福祉協議会から「走りながら考えましょう」というアドバイスもあり、避難者の子どもの遊び支援と学習支援を主目的とした多世代交流サロン活動（さんさん広場）も2012年1月から試行実施されます。

多世代交流サロン活動の様子

　迅速な体制整備と活動の試行実施の背景には、課題解決に向けて今後の戦略を検討するために、避難者のニーズや避難先の地元住民の状況等を把握して、「地域アセスメント」を行うという意図がありました。まずは、実態を把握して、状況を見定めて活動の展開を考える必要がありました。

　一方で、ひとつひとつの学生団体が単独で活動を展開できる推進力をもっていたこともあり、その相乗効果により、学生団体の支援ネットワークからも、様々なアイディアが生まれてきます。また、それらのアイディアを実現できるように、新宿区社会福祉協議会も後方支援として、学生達と一緒に具体化に向けた検討をしていました。

実際の支援活動では、同時多発的に様々な出来事が発生します。その対応に追われているだけでは、課題解決に向けた支援活動に直結しません。いかに「ＰＤＣＡサイクル（Plan-Do-Check-Act）」をつくり、自然な形で定着させていくかが問われました。

幸いなことに、新宿拠点では活性化した学生団体の支援ネットワークが、自主的に活動を振り返り、方向性を検討する会議を実施する流れが、必要に迫られて自然な形で定着しました。

私たちの関わりは、避難者支援として特別な活動を実施するのではなく、課題解決に向けた支援ネットワークの「組織化」と「ＰＤＣＡサイクルの定着」に重点化していました。その結果、当初は避難者支援としては、多世代交流サロン（さんさん広場）のみでしたが、その後、季節ごとのお祭りイベント（さんさん祭り）を実施するなど、支援メニューが増えていきました。

避難者支援から「在住支援」への変化とその戦略

避難者支援の開始から1年が経過した後、学生達は違和感や

冬祭りに参加した学生 100 名と住民　2014 年 2 月

疑問を持ち始めました。「避難者支援といっても抽象的、何を目的として行うのか」、「地域には様々な課題があるのに、避難者の方々だけの支援に留まっていていいのか」といった声があがりはじめます。

学生団体の支援ネットワークは、避難者支援の終結を見すえた活動の目的を模索しはじめました。避難者の「迷い（地元に帰還するか、この地に移住するか）」を受けとめ、学生達が考えだした目的は「在住支援」という新しい考え方でした。帰還することを手助けするのではなく、定住を薦めるのではなく、その選択を迷っている「今」を支える。避難者として区別をする自らの視点を変え、その地域に住み、「在住」する地域住民の一員とする視点を持ち支援活動を行う。そういった認識のシフトチェンジを学生団体の支援ネットワークとして行っていくことを学生達は選択しました。このことが、新宿拠点の5年間の活動のターニングポイントになりました。

その目的に沿った具体的な活動が、避難先の地元自治組織（百人町4丁目連絡会）が行う地域防災活動への参画でした。新宿拠点の活動だけでなく、岩手県や宮城県、福島県の被災地での活動を実施していた学生達は、「次の大規模災害に備える」ことの重要性を現地で伝えられ、「自分達にできることをしたい」という強い関心をもっていました。被災地支援での学びを生かすことにもマッチする活動でした。

この時点における本プロジェクトの新宿拠点での関わりは、学生団体の支援ネットワークの選択を尊重し、「在住支援」という地域福祉的な目線で活動を展開するにあたり、関わりが必要になってくる地域の関係者や関係機関との連絡調整、学生との橋渡し等に重点化していました。学生達の活動をサポートしてくれる存在を増やしていきました。

その結果、学生達の活動は避難先の住民の自治活動と調和し、避難者支援の活動が「在住支援」という名の地域福祉活動に変化を遂げて行きました。

新たな展開　ソーシャルインクルージョン

現在、学生団体の支援ネットワークは、地元の商店街や福祉作業所なども出店する買物支援の要素も含めたコミュニティカフェ（さんさん商店街）を、避難先の地元自治組織（百人町4丁目連絡会）と協働して特別養護老人ホームの交流スペースで試行実施しています。そこには、避難者だけでなく、活動地域の高齢者、施設内の要介護高齢者、未就学児を連れた親子、障がい者など、多様な地域住民が訪れます。

コミュニティカフェの様子

避難者支援から「在住支援」という視点に変わったことにより、避難者との密着度が薄れ、状況等の把握が難しくなってきたという課題もありますが、一方で、学生達と避難先の地元住民との関わりが増えたことにより、避難先の地元住民の視点からの避難者の状況等を把握する場面も増えてきました。「あの人は住民票を移してこの地域の人になったみたい」「あの人は悩んでいるみたいで心配」「あの子達はいつも一緒に遊んで友達になったみたい」というように、避難者支援開始時期の「孤立化」の課題について、ある程度の変化が見られるようになりました。

今後の新たな展開として、学生団体の支援ネットワークはソーシャルインクルージョンという社会問題と対峙していくことになります。それは「特定の誰か」に偏ることなく、様々な地域住民のつながりをつくることでもあります。とても難しい課題です。

現在、避難先の地元自治組織（百人町4丁目連絡会）を中心として、近隣の町内会、新宿NPO協働推進センター、高田馬場シニア館、新宿けやき園など、多様な関係機関が学生達の活動を応援し、サポートをしてくれています。学生団体の支援ネットワークが、今後の新たな展開を進めていけるかどうか、それは本プロジェクトの新宿拠点への関わり方よりも、学生達を応援するサポートネットワークの関わり方次第という状況になってきています。

〝子どもと遊んでほしい〟の声にこたえて

東久留米交流プログラムの活動紹介

大和田晴香　復興支援推進室スタッフ・大学院生

福島第一原子力発電所で発生した事故の影響で、福島県から全国各地へと多くの人々が避難しており、東京都東久留米市も避難先の一つです。東久留米交流プログラムでは、福島県から東久留米市に避難されている方々を中心として立ち上げられた「ふれあいの会」の皆さんと交流を深めてきました。

「ふれあいの会」が立ち上がったきっかけは、2012年秋に、東久留米市社会福祉協議会が呼び掛けたお月見の企画で、避難者の方々が顔を合わせたことでした。当初は「東久留米住宅避難者母の会」

として子ども会のような活動から始まり、２０１３年の春からは「ふれあいの会」と名前を改めて、サロンや英会話教室、団地の草むしりなどの活動を行っています。

立教大学との関わりとしては、２０１４年５月に、福島県避難者支援課の方から「ふれあいの会に関わっていただけないか」という依頼をいただいたことから始まりました。そこで復興支援プロジェクトの教員・スタッフでお伺いしたところ、小さいお子さんを抱えた自主避難のお母さん方が多いことから、「子どもの遊び支援・学習支援・親と学生の交流」というニーズを出していただきました。こうして東久留米交流プログラムが立ち上がり、９月に花火交流会で顔合わせをして、２０１４年度に一緒に遠足に出かけたり、立教大学の文化祭にご招待したり、クリスマス会を行ったりしました。

竜ヶ岳山頂で記念撮影　2014 年 9 月

遠足では、１泊２日で山梨県を訪れ、富士急ハイランドと竜ヶ岳ハイキングを楽しみました。私たちは、「ふれあいの会」の皆さんから、〝子どもと一緒に遊んでほしい〟という声を聞いており、遠足では、子どもたちが思いっきり体を動かして楽しめるよう心がけました。特に、竜ヶ岳ハイキングでは、子どもたちも頑張って山頂まで登り、その姿にお父さんやお母さん方もとても驚いていました。「普段は外でほとんど運動しないのに、頂上まで行ったことが信じられない」、「山を登り切ったことで、子どもに自信がついたみたい」と話してくださった方もおり、その言葉を聞いて私たちも嬉しくなりました。

この遠足での出来事や思い出を、「立教ふれあい新聞」という形で残すことにしました。立教生が新聞記事の内容やレイアウトなどを考え、遠足について振り返ったり、福島県の現状や原発避難についてまとめたりしました。立教生は、２日間の交流を通して多くのことを考えたり、感じたりすることができました。完成した新聞は「ふれあいの会」の皆さんにも読んでいただき、とても喜んでくださいました。新聞記事の中から、いくつか立教生の声をご紹介します。

「母ひとり子ひとりでは限界があり、特に若い力がありがたいと話してくださったことが印象的だった」

「子どもたちとの接し方が良く分からなかったけれど、積極的にだんだんと話しかけていったら、最後は子どもたちから話しかけてくれるようになりました。みんな笑顔で楽しそうな姿を見ていて嬉しかった」

「子どもたちが同じ学年、大人に囲まれることでいつも以上の力を発揮した。こういった環境が子どもたちにとって大事なのではないかと思った。子どもたちの成長につながるのであれば、ふれあいの会の方々と立教生の交流は今後大きな意味を持つのではないだろうか」

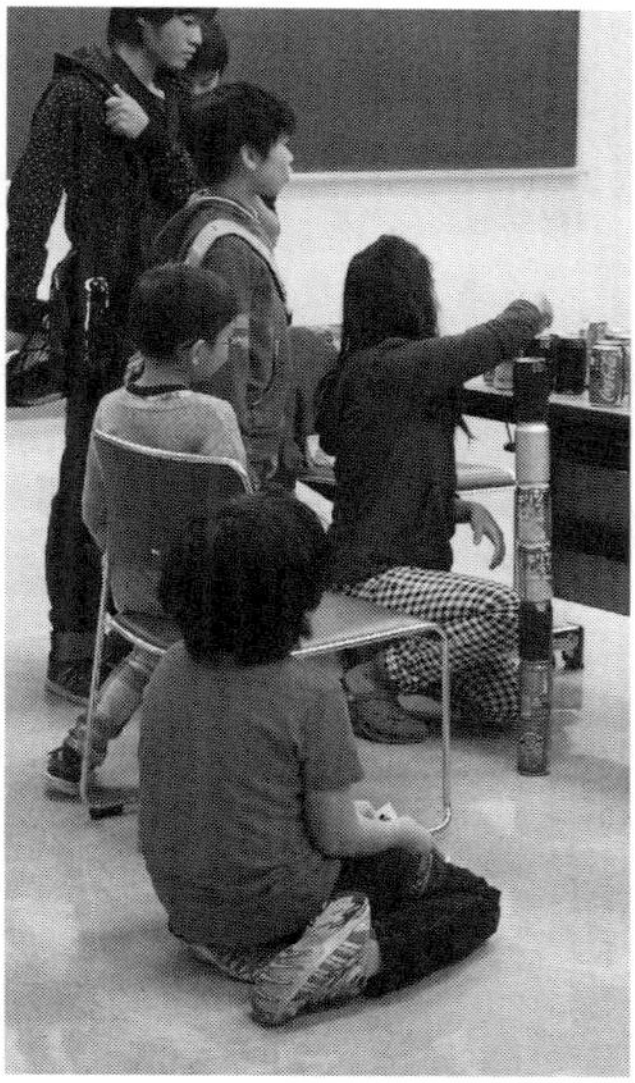
学園祭のゲームコーナーで遊ぶ

毎年秋に立教大学新座キャンパスで開催される学園祭「ＩＶＹ　Ｆｅｓｔａ」に「ふれあいの会」の皆さんをご招待したこともあります。いつもは私たちが東久留米を訪れて交流していますが、新座キャンパスと比較的距離が近いということもあり、一緒に学園祭を楽しみました。「ふれあいの会」の皆さんからは東日本大震災での経験や避難生活、福島のことなど、たくさんお話を聴かせていただいているので、学園祭に招待することで、私たちのことについてみなさんに知っていただく時間も作ることができました。一方的ではなく、互いに自分たちのことを伝えあうことを大切にして交流しています。

みんなで完成させたクリスマスケーキ

クリスマスの時期には、「ふれあいの会」の皆さんが行うクリスマス会に参加し、一緒にケーキを作ったり、子どもたちとゲームやプレゼント交換をしたりして楽しみました。クリスマス会には地域の方々なども訪れていて、避難している皆さんと東久留米（=避難先の地域）の方々のつながりを感じることができました。

東久留米交流プログラムでは、共に楽しい時間を過ごすだけではなく、「ふれあいの会」の皆さんとお話しながら、東日本大震災・避難生活・福島・被災地・原発・心のケア・子どもの将来などたくさんのことについて学び、考えることができます。東日本大震災によって避難している人は、全国各地、私たちの身近なところにもいらっしゃいます。東久留米交流プログラムに参加することで、東日本大震災を忘れず、震災の影響を自分にも関わることとして考え続ける大切さを学びました。

２０１５年度からは、コミュニティ政策学科原田峻ゼミの活動として、交流を続けています。

県外避難者をどう支援するか　支援者の立ち位置の難しさ

原田　峻
コミュニティ福祉学部助教

立教大学の復興支援プロジェクトが新宿区と東久留米市で取り組んできた活動は、福島県外における原発避難者支援という全体像に置き直した場合、どのように評価できるのでしょうか。締め括りとして、筆者が別途取り組んでいる埼玉県の原発避難者支援の知見も織り交ぜながら、新宿拠点と東久留米拠点の成果と課題について考えてみます。

福島県外の原発避難者を支援する難しさ注(1)

まず、新宿拠点・東久留米拠点に限らず福島県外における原発避難者支援には、通常の復興支援とは異なる2つの困難がそもそも存在していることを、前提として踏まえておく必要があります。

1つには、長期・広域の避難がもたらす困難があります。通常の災害では基本的に、行政を中心とする被災コミュニティの復旧・復興のプロセスに沿いながら、民間の支援活動も、レスキュー段階における生命の安全確保、避難所の生活環境の向上、復興まちづくりへの支援、地域の復旧・復興から取り残されていく社会的弱者への支援、という流れで展開します。しかしながら、原発事故後の広域避難においては、「帰還」でも「移住」でもない「待避」の状態が続いており、避難者の生活再建の見通しが立ちにくいだけでなく、個々の避難者が目指す生活再建のあり方と、避難元のコミュニティが目指す復興のあり方が、必ずしも連動しません。そのため、受け入れ先の行政にとっても民間にとっても、求められる「支援」の方向性や到達点が見えにくいという困難があります。

もう1つには、原発避難者を取り巻く制度の問題があります。通常の災害においては、行政によって実施される制度的支援を前提にしつつ、そこからこぼれ落ちる個別ニーズをすくい上げることに民間の支援活動が力を発揮してきました。しかしながら、原発避難者に対しては、国による最低限の生活保障として応急仮設住宅の提供などは実施されているものの、東京電力からの賠償が生活再建の手段として掲げられるという事態が進行しています。そして、住宅支援は住み替えなどによって容易に適用外に転じやすく、賠償の有無や額をめぐって分断も生じています。これに対し、いくつかの都道府県や市町村によって、「住民」ではない避難者に独自の生活支援も実施されてきましたが、その度合いは避難先の自治体ごとに開きがあります。こうして、どの地域からどの地域に避難したかによって、受けられる公的支援や賠償に大きな格差が生じているという現状があり、民間で対応するにも避難者のニーズは極めて複雑化・多様化しています。

これらが相まって、福島県外における原発避難者支援では従来の復興支援のあり方が通用せず、全国各地で避難者支援に携わる人々は、「誰に対して、どのような支援を、どのような根拠（正統性）をもって、いつまで続けるべきか」という葛藤を抱えることになります。言い換えると、本プロジェクトの理念である「伴走型」の支援を目指そうにも、同じ「避難者」と呼ばれる方々でも人によって走る方向がまったく違ったり、当事者自身がどこに向かって走ればいいのかわからないまま避難生活を続けていたりするため、「伴走者」の立ち位置が難しいということになります。

交流の場づくりと地域づくり

以上のような困難が存在するなかで、新宿拠点と東久留米拠点ではそれぞれ試行錯誤を重ねながら、避難者支援における一定の成果を出してきました。

まず、2つの拠点に共通する成果として、当事者の方々による交流の場に貢献したことを挙げられます。福島県から避難した方々は、地元コミュニティから遠く離れて見知らぬ土地で避難生活を送っているため、日常生活や子育てなどの問題に直面したり、孤立したりしてしまう恐れがあります。その際に、避難者同士、あるいは避難者と地域住民の交流の場があることは、大きな助けになります。新宿拠点では、交流サロン「さんさん広場」を毎月開催することで、子育て世帯の避難者の方々だけでなく、多世代の避難者・地元住民の方々が集まる場へと発展しました。東久留米拠点では、当事者団体「ふれあいの会」を通した、東久留米住宅や東久留米市内外の自主避難者に特化した、当事者の方々と学生の相互交流を行いました。

さらに新宿拠点では、百人町アパートのお祭りや防災活動の企画にも積極的に関わるようになり、避難者と地域住民の「壁」を取り除くとともに、地域コミュニティの活性化に貢献するようになりました。交流活動がどちらかといえば非日常的な支援であるのに対して、こうした地域づくりの活動は、避難した方々の日常生活を側面的に支援するものであり、避難生活が長期化するにつれて重要性が増してきています。

このように、新宿拠点と東久留米拠点では、「帰還」でも「移住」でもない「待避」の状態で生活を送っている避難者に対して、まずは交流の場づくりというアプローチから支援を行い、さらに新宿拠点では地域づくりにも活動を展開して、避難生活の負担軽減の一助となるように支援活動を行ってきたことが分かります。なお、その際に、新宿拠点では百人町アパートに元から様々な社会背景を抱えた方が居住していたという地域事情と、避難指示区域の内外から避難しているという事情から、個々の避難者よりも地域コミュニティそのものを対象に活動を展開しています。東久留米拠点の場合は、東久留米住宅では建て替えが予定されていて元々の入居者が退去していたという地域事情と、避難した方々が全員自主避難だったという事情から、避難者の方々との関係を中心に展開しています。

それでは、本プロジェクトの2拠点において、なぜそのような活動を実現できたのでしょうか。初期条件として、居住空間の近接性と、社会福祉協議会との関係、という2点を挙げることができます注(2)。まず、東京都では震災直後から、都営住宅・国家公務員宿舎で多くの避難者を受け入れました。これらの集合住宅に避難者がまとまって入居したことで、集会所での交流の機会が生まれやすくなるとともに、本プロジェクトのような外部団体と関係を築きやすい素地が作られていたと言えます。さらに東京都では、2011年8月から各市区町村の社会福祉協議会が「孤立化防止事業」を進めて、戸別訪問や交流会の開催などを実施してきました。新宿拠点の活動は、新宿区社協の「孤立化防止事業」の一環として実施しているものであり、東久留米拠点でご一緒している「ふれあいの会」が立ち上がるきっかけを作ったのも東久留米市社協によるお月見企画で、本プロジェクトと「ふれあいの会」の最初の顔合わせでは新社協職員の方に同席していただきました。社協の事業とうまく連携できたことが、2つの拠点、特に新宿拠点が活動を長期にわたって継続できた条件となっています。これらの初期条件の上に、スタッフや参加学生による創意工夫のもとで、活動が発展してきました。

以上で述べてきたような、交流および地域づくりへの支援活動と、その形成・発展を可能にした条件に関する知見は、今後の復興支援活動にとどまらず、少子高齢化が進行した都市コミュニティにおける福祉活動などにも示唆を与えていると思われます。

避難先のコミュニティを介した支援活動と避難者に特化した支援活動、それぞれの限界

最後に、2つの拠点が抱えている限界と今後の課題についても、指摘しておきたいと思います。

新宿拠点は、活動の連携先が避難者の当事者団体ではなく地元自治会であり、その活動内容も、復興支援活動としての「避難者支援」から、地域福祉活動としての「地域コミュニティの活性化」へと徐々に比重を移してきました。この転換は、先述したように、避難者と地域住民の「壁」を取り除いたり、避難した方々の日常生活を側面的に支援したりする上では、重要な意味を持ってきたと言えます。他方で、原発事故によって避難した方々は、放射能被害や賠償など、他の地域住民とは決定的に異なる問題も抱えています。「地域コミュニティの活性化」へとシフトすればするほど、原発避難固有の話題を出しにくくなり、避難者同士でその問題について話し合う機会や、避難者の方とスタッフ・学生がこうした問題について一緒に考える機会を作るのが、難しくなります。

逆に、東久留米拠点は、当事者団体「ふれあいの会」を連携先として活動をしてきました。「ふれあいの会」は、東久留米市内外の自主避難者や、近隣の地元住民、都内の他の当事者団体や避難者支援と

幅広く関係を築いており、本プロジェクトもそのうちの1つとして関わりを持ってきました。また、活動内容としては、子どもとの遊びを中心としながらも、学生が大人の方々と原発事故や避難生活について意見を交わす機会を作ってきました。他方で、それらの活動は非日常的な交流イベントを通してのものであり、東久留米住宅近辺の地域コミュニティとの関係性を築けた訳ではなく、避難者の方々の日常生活に対する支援という意味では限界があります。

このように、避難先のコミュニティを介した支援活動を行うか、避難者に特化した支援活動を行うかは、あちらを立てればこちらが立たずというところがあり、長期・広域化した福島県外の原発避難者支援の難しさを、改めて示していると言えます。

そして、両拠点に共通して今後の大きな課題となるのが、住宅の入居期限の問題です。特に自主避難者の住宅提供は、2017年3月での打ち切りが決定し、東久留米住宅のすべての方々と、百人町アパートの自主避難の方々は、それまでに現在の住宅を退去しなければなりません。避難者の方々にとっては、次の生活場所を確保することが最大の懸念事項であり、交流活動の重要性が相対的に下がっています。また、「福島県内に帰還するか、東京都内や近隣県に移住するか」という生活再建のあり方は、家族ごとの選択と責任に帰せられており、支援者が迂闊に介在できない領域が広がっています。

2つの拠点がこの大きな課題に対して、どのように向き合っていけばいいのか。その先に、拠点活動をいつまで継続して、どのように終了すればいいのか。引き続き試行錯誤が求められています。

■参考文献

・今井照、2014年、『自治体再建――原発避難と「移動する村」』筑摩書房
・津賀高幸、2015年、「東京都」、関西学院大学災害復興制度研究所・東日本大震災支援全国ネットワーク（JCN）・福島の子どもたちを守る法律家ネットワーク（SAFLAN）編『原発避難白書』人文書院
・原田峻・西城戸誠、2013年、「原発・県外避難者のネットワークの形成条件――埼玉県下の8市町を事例として」、『地域社会学会年報』第25集
・原田峻・西城戸誠、2015年、「県外避難者支援の現状と課題――埼玉県の事例から」、関西学院大学災害復興制度研究所・東日本大震災支援全国ネットワーク（JCN）・福島の子どもたちを守る法律家ネットワーク（SAFLAN）編『原発避難白書』人文書院
・山下祐介・市村高志・佐藤彰彦、2013年、『人間なき復興――原発避難と国民の「不理解」をめぐって』明石書店

注⑴　本節は、原田・西城戸（2015年）の209ページの記述と一部重複しています。

注⑵　筆者が以前、埼玉県内において避難者交流会・当事者団体が形成された条件を調査した際に、集合住宅などで避難者同士が空間的に近い場合には自発的な交流会が形成されてきたこと、分散してしまった避難者が繋がるためには避難先の市町村もしくはボランティアによる働きかけが不可欠であったことが明らかになりましたが（原田・西城戸2013年）、東京都では近接性と社協の働きかけという2重の好条件があったことが分かります。

Ⅱ—7　学生支援局　Three—S

学生自身が考え、行動する場所

門倉啓介
Three—S第5期代表

学生にできる復興支援

「Three—S」とは、「Support Station by Students」の略称で、「学生による復興支援の場」という意味です。

復興支援に対する想いを持ちながらも、一歩を踏み出せず、実現できずにいる学生のことを考えながら「学生にできる復興支援」をコンセプトに、先輩から後輩へ、継続的に関われる復興支援活動を展開し続けています。「学生の被災地への想いを活動へとつなげ、形にすること」という理念があります。

また、Three—Sは「立教大学コミュニティ福祉学部東日本大震災復興支援プロジェクト」(以下、コミ福プログラム)と連携・協力しながら活動を行っています。活動を行う際、コミュニティ福祉学部の教授方や復興支援推進室のスタッフに、サポートしていただくことはもちろんのことですが、メンバーがコミ福プログラムの各拠点活動に参加し、そこで学んだこと、吸収したことをＴｈｒｅｅ―Ｓで新たな企画として形にし、団体での活動をより活発にしています。

◇「起」　1期（2011年6月～11月）

設立1期目は活動を大きく「提供」「発信」「資金」「現地活動」の4つに定めました。

「**提供**」とは現地への物資の支援を行うこと、そのためのニーズ把握を行うことを主な活動としました。具体的には、「おしゃれな夏服がほしい」というニーズに対し、学内へ向けて物資提供の呼びかけを行い、集まった物資を仕分け、夏服をピックアップし、現地へ送りました。それ以外にも、汚れや傷みの激しい洋服をシュシュに作り替え、現地へ送付するといった学生の創意工夫を凝らした活動も行いました。

「**発信**」は個人の現地活動の体験を共有する場を作ること、また、Ｔｈｒｅｅ―Ｓの活動を外部に向けて発信することを目的とする活動です。実際に、被災地での活動の経験や想いを共有するランチミーティングの開催や、外部に向けた活動報告会の開催などを通じ、学生が活動で得た想いをより多くの人に発信し共有できる場づくりを行いました。

「**資金**」の活動は被災地への支援金を集めることを目的としていま

学生が作成したシュシュ

した。具体的な活動は、宮城県石巻市のご当地グルメ「石巻焼きそば」を学園祭にて調理・販売する活動に加え、チャリティータオルを作成して学内のスポーツフェアにて販売する活動を行いました。石巻焼きそば販売の活動では、石巻のご当地グルメ推進団体の「石巻茶色い焼きそばアカデミー」の方と直接お会いし、調理方法や販売のノウハウを教えていただきました。アカデミーの皆様とは、２０１５年現在も交流が続いています。

「現地活動」は、発足当初はＴｈｒｅｅ―Ｓが独自に活動の企画・実施を行うことが困難であったため、コミュニティ福祉学部主催の復興支援プログラムへの参加や、「現地活動を行いたい」という学生に対して情報提供を行いました。

◇**「承」**２〜３期（２０１１年12月〜２０１３年11月）

設立２〜３期は１期の活動を通して築かれた基盤をもとに、Ｔｈｒｅｅ―Ｓ独自の東北・関東での活動を企画し、ブラッシュアップすることに成功した期間でした。

それと同時に課題も見え始めた時期でした。２０１１年12月の時点で震災から９か月が経過し、活動に主体的に参加をする学生が減少し始めました。このことを受けて、メンバーの再定着や新規獲得を目指した内政・広報の活動にも注力した時期でした。この主体的なメンバーの減少という課題とは現在も向き合っています。

ZeRoバスツアーで新メンバーが増える

新規メンバー獲得の要となった活動が「ZeRoバスツアー」です。このバスツアーは2012年6月から2013年9月まで計4回開催されました。「ZeRoバスツアー」とはThree-Sの理念に基づき、被災地に対して漠然と「何かしたい」と思うだけにとどまっている学生に対して企画されました。「何かしたい」と思っている学生にとって実際に現地へ行って自分の目で被災地の姿を見ること、そして、現地の人の声を自分の耳で聴くことが大切であると考え、この考えを軸として企画を展開していきました。

基本的にThree-S以外の学生に募集をかけ、事前にガイダンスを実施し、訪問する被災地に関する情報提供や参加者間の顔合わせを行い、当日の活動を迎えます。そして活動後に実際に感じた事、思ったことを全員で共有し合う振り返りを開催する、という一連の流れで行いました。ツアー参加者が、Three-Sの新規メンバーになるという可能性が潜在していたことはもちろん、この企画は、既存のメンバーにとっても、改めて被災地と向き合うことで、実際に今必要とされていることは何なのか・学生にできることとは何か、を改めて捉える場としても認識されていました。

以下は第1弾から4弾までの詳細です。

〈第1弾〉

【日時】　2012年6月（2回実施）

【訪問先】　宮城県石巻市・女川町

【参加人数】　42名

記念すべき第1弾は、以上のことを中心に企画・実施しました。その結果、ツアー参加者の多くが新メンバーとして加入しました。２０１２年夏の時点でメンバーは１２０名を超えました。

〈第2弾〉

【日時】　２０１２年11月

【訪問先】　岩手県陸前高田市

【参加人数】　17名

第2弾は福祉学科の松山教授のお力添えの下、普段コミ福プログラムでお世話になっている方にお会いできるよう行程を組みました。また、震災当時に避難されていた方々をお招きし、お話を伺いました。このツアーの参加者から陸前高田プログラムの複数回参加者が輩出され、成果がより目に見えるようになってきました。

ゼロバスツアーで陸前高田を訪問

〈第3弾〉

【日時】　２０１３年5月

【訪問先】　宮城県石巻市・女川町

【参加人数】　36名

第3弾を行ったあたりから、震災の記憶が風化しつつあり、ツアーに参加した後の学生の動きも第1

弾のころに比べるとさまざまに変化してきました。そのため、次回以降は参加者がツアー参加後に、どのようになってほしいかという「姿」をイメージしてから取り組むということになりました。

〈第4弾〉

【日時】　２０１３年9月

【訪問先】　岩手県陸前高田市・大船渡市

【参加人数】　13名

第4弾は3弾の反省を活かして、改善点を２つ導入しました。１つ目は、人数を絞って実施すること。２つ目は、新たにワークショップの要素を取り入れることで、震災と自分とのかかわりや、今後について参加者自身が考えるようなプログラムを組むことです。この結果、参加者は自分自身と被災地の関係性について、現地にいながら考えることができました。第4弾の参加者の中からは、その後も自主的に陸前高田以外の被災地にも足を運ぶ学生が生まれました。

福島からの避難者の方への支援、地域との連携

ＺｅＲｏバスツアーで実際に被災地へ行く活動を展開する一方、私たちが住んでいる関東での活動が展開・強化されたこともこの時期の特徴の１つです。

活動内容は２つあります。１つ目は練馬区や新宿区の社会福祉協議会と協働して福島県等から避難されてきている方々への支援活動を展開。２つ目は新座市北部第二地区の自治会が主催している「きたにフェスタ」への参加です。練馬区社会福祉協議会とは練馬区に避難されてきている方々への在宅支援を

行いました。また、新宿社会福祉協議会とは新宿区の団地を活動拠点として立教大学のほかに、法政、学習院女子、東洋、慶応、早稲田など多数の大学が連携し、被災者へのサロン活動、学習支援を行いました。新宿での活動は「Joy Study Project」という名前で２０１５年11月現在も続いています。現在は、立教大学池袋キャンパス・新座キャンパス、東洋大学、法政大学など首都圏の大学生が集まり運営しています。主に月１回、地域の方々、子どもたちが集まる「さんさん広場」というサロン活動を行っています。

この活動はコミ福プログラムの「新宿」の活動に包括されます。（詳しくは１５４ページを参照）

大学間の連携、てのうたｆｏｒ３・11、体験型防災演習ＨＯＰＥ

東洋大学ボランティアセンター、明治学院大学「Do for Smile@東日本」、文教大学東日本大震災復興支援学生本部（ＢＲＯ）の４団体が「と－ほくらぶ」という名前で協働・連携した活動を実現しました。具体的には、２０１２年８月に宮城県気仙沼市九条小学校にて、現地の子供たちとの交流イベントを行いました。各大学から、混声合唱団、手話サークル、和太鼓サークル、ピエロによるパフォーマンスサークルの学生を連れて行き、延べ１００名を超える子供と親御さんに参加していただくことができました。

２０１２年12月４日には、立教大学新座キャンパスの手話サークルである「Ｈａｎｄ Ｓｈａｐｅ」とＴｈｒｅｅ―Ｓが学内にてチャリティーコンサートを行いました。その際、募金活動を行い集まった募金を後日福島県内の福祉団体に寄付しました。「てのうたｆｏｒ３・11」では活動に手話という要素を持つことで、今まで震災というキーワードだけでは興味を持ちにくかった学生を集めることができ、被災地の現状を伝えることができました。

さらに２０１３年、「東日本大震災の経験を伝え、活かさなければいけない」という東北の方の言葉を受けて、防災を学ぶイベント、ＨＯＰＥ（Hands On disaster Prevention Exercise）～体験型防災演習～を立ち上げました。日常的に災害に備えることの必要性を感じた学生のアイデアによるもので、Ｔｈｒｅｅ―Ｓ防災チームが主催します。イベントは２０１４年３月から２０１５年８月までの時点で３回実施し、計34名の学生を集め、防災知識と謎解きゲームを組み合わせた防災レクリエーションを行いました。２０１５年度からは、新座地域との連携も視野に活動する予定です。

◇「転」４～５期（２０１３年12月～現在）

４～５期では、震災からさらに時間が経過する中で、継続する活動は続けつつ、新しい活動にも挑戦を試みた時期でした。

また、様々な課題が表面化してきた時期でした。Ｔｈｒｅｅ―Ｓは財政面の課題と、人材面の課題を抱えながら活動を引き継いできました。それらの課題を取り巻く状況が、４年目を迎えた今変化しつつあります。助成金の窓口が減り、活動資金を得ることが難しくなってきています。今までの規模で活動が継続できるか見通しが立たなくなってきました。さらに、活動に新規に、継続的に関わる人数も減っており、メンバー数は年々減少傾向にあります。

その解決策として、懸念事項であった活動財源の確保に関しては、いくつかの手段を講じました。1つ目は助成金の獲得です。申請に際しては、復興支援推進室（コミュニティ福祉学部　東日本大震災復興支援プロジェクト事務局）のスタッフの援助を仰ぎながら書類を作成しました。多くの方のご協力のおかげで、2015年度は電通育英会と住友商事の計2つの助成金の審査に通ることができました。2つ目としては、会費制を導入しました。

復興支援活動を取り巻く財政状況が変わり、今まで以上に自主財源の必要性が高まってきたことから、早いうちに財源の確保について考え直すことが必要になると思います。

参加メンバーの減少に対しては、新入生にどのようにして、東北被災地への活動を伝えるか、という問題を中心に、団体の体制や活動理念の見直しに力を入れています。

続けている活動、新しい活動

5期現在、発足当初から続けている活動には、次のようなものがあります。

〈石巻焼きそば販売〉

石巻のご当地グルメである「石巻焼きそば」の販売、お手伝いの活動です。私たちは販売活動を通して、学生ならではのパワーと元気で、少しでも石巻を知ってもらうお手伝いができればと考えています。毎年学園祭「ＩＶＹ Ｆｅｓｔａ」において、石巻焼きそばを学生のみで販売しています。この活動は震災後より続いている、石巻焼きそばをＰＲする有志団体「石巻茶色い焼きそばアカデミー」との交流が基盤になっています。また、Ｔｈｒｅｅ―Ｓでは2011年からアカデミーの方々とのイベント等で、石巻焼きそば販売のお手伝いをさせていただいています。２０１４年度はお台場、池袋、東京ドームの計３か所、２０１５年度は5月にお台場フジテレビ、7月に石巻のイベントでの販売活動に参加しました。

〈写真展〉

同じく設立当初から毎年、学園祭で写真展を開催しています。展示する写真は、主に現地活動で撮影したり、参加学生や東北在住の方から募集したものです。それぞれの写真一枚一枚に、何の写真かが分かるようにコメントをつけて展示しています。また、年度ごとに工夫を凝らした展示も行っています。

２０１５年度は東北の「食」に注目し、様々な東北の料理の写真を展示するスペースを作りました。いくつかの料理は学園祭にて販売していたので、写真で見たものを実際に食べることができました。また、展示を見学したお客様が感じたことを残せるように、画用紙にコメントを書くことのできるスペースも設けました。写真展で現在の東北の状況を伝えることで、今の被災地の状況と震災があったことを思い出してもらえる活動になっています。２０１５年度の来場者数は３９６名でした。コミ福プログラム主催の「復興支援トーク

学園祭で石巻焼きそばを販売

ＬＩＶＥ」でも写真を展示していただき、より多くの学生の目に触れる機会となりました。

〈ＨＯＰＥ～体験型防災演習～〉（２～３期参照）

〈Joy study project〉（２～３期参照）

５期目に入って、新しく始めた活動もあります。

〈わかめプロジェクト〉

宮城県南三陸町の名産品である、わかめの販売活動を通して、関東圏における南三陸町の認知度を向上させることを目標とした企画です。新座キャンパス周辺のお祭りや学園祭で、南三陸産のわかめやわかめ料理を販売することを当面の活動としています。２０１５年７月に新座北部第２地域（通称：きたに）のお祭りである「きたにフェスタ」において、南三陸産の塩蔵わかめと、南三陸に住む住民の方が制作した手芸品を販売しました。また、学園祭では、郷土料理の「はっと汁」に南三陸産のわかめを加えた「わかめはっと汁」を販売しました。

また南三陸を学生で訪れるツアーも実施しました。４月に４人、６月に５人の規模で行い、地元のわかめ漁師さんとの交流や、南三陸町の見学、地元住民の方々と交流しながらわかめ料理の試作も行いました。

〈石巻・女川ツアー〉

実際に東北へ行く活動としては、石巻・女川ツアーという企画が発足しました。先代の先輩方が行っていたＺｅＲｏバスツアーの形を継承し、訪問する地域をＴｈｒｅｅ―Ｓと縁のある石巻市と女川町に絞ったツアーです。

まだ被災地へ行ったことのない学生にその地域の魅力を伝え、参加した学生が、新たな復興支援活動を始めることを目標としてこの活動を企画、実施しました。また、この活動は、実際に被災地に足を運ぶことで、被災地の今を知ってもらいたい、という思いも込められています。

２０１４、２０１５年度合わせて計31名で宮城県石巻市と女川町を訪問しました。活動内容は石巻市・女川町の見学を行い、現地の方に被災されてから現在に至るまでのお話を伺うことが主でした。加えて、２０１４年度は震災後再開された「おながわ秋刀魚収獲祭」にボランティアスタッフとして参加させていただくこともできました。結果として、ツアー後も継続的に支援活動に参加する学生を輩出することができ、また、収獲祭に参加したことで、これから復興へと向かっていく女川町の様子を垣間見ることもできました。

「結」の形を模索しながら

被災地の状況は、日々変化し続けています。私たちは、その変化を感じながら活動を展開する必要があります。そのために日々の広報活動や、被災地を訪問するなど今までの活動

石巻の日和山付近

を継続する部分と、常に東北のことを考え、その考えを共有していくこと、そして状況に応じて団体の形を見直す部分の2つの要素が不可欠になります。つまり、常に自分達の立ち位置を考えながら、活動を行うことが求められています。

被災地はそれぞれに個別の状況、課題がありますが、各地域で共通しているのは「まだ復興は始まったばかり」という認識です。被災から丸4年が過ぎ、がれきや被災物のほとんどが処理され、被災地は新たなスタートに向けて進んでいます。

起承転「結」の形を目指し、活動の形は今後、状況に応じて変わっていくかもしれませんが、これからも私たちThree—Sは、東北と住んでいる人々のことを忘れず、何が必要か考え、実行していく団体でありたいと思っています。

第III章

支える

交流する

学ぶ

つなぐ

町民が主役の生活支援員制度

本間照雄さん
南三陸町「被災者生活支援センター」企画・発案者

押しかけ女房

そもそも私は、東日本大震災の時は宮城県の県職員、公務員でした。震災後、いても立ってもいられなくて、「現地に派遣してほしい」と訴えましたが無理だったので、被災地の市町村長に手紙を書きました。「私はこういう経歴があって、こういうことができます。なので必要だったらば声をかけてください」という風に。

その時、すぐに手を挙げてくれたのが南三陸町でした。ですから特段、南三陸町に何らかの縁があったわけではありません。定年退職後に決まっていた仕事を投げ打って、すぐに半分押しかけ女房みたいな形で南三陸町へ行きました。

あっという間に3年間が過ぎました。ほとんど住み込み状態です。テント生活をしばらく続けて、そのうちトレーラーハウスや物置みたいな場所を借りて暮らしました。

東日本大震災では、過去の智恵を見落とし、「想定外だった」ということをよく言いますが、実は過去の歴史を調べると、必ずしも想定外だったとは言えない部分があります。

「私たちの今日は、震災で犠牲となり、もっと生きたかった人たちの今日でもあります」。これは、南三陸町の戸倉中学校の卒業生代表が述べた答辞です。東日本大震災の2万人という犠牲者一人ひとりが生きたかったと思います。そしてこの瞬間、まだ被災地では仮設住宅で多くの人たちが暮らしています。しかし一歩離れると、震災があったのかさえ分からない状況もあります。まだまだ被災地では、このような人たちがいっぱいいる、ということを共有してもらえたらと思います。

阪神淡路の悲劇を繰り返さない

チリ地震の最大波高は5・5メートルでした。でも今回の震災で南三陸町では15・5メートルの津波がありました。建物の罹災率は、街の中心部の志津川地区で75%。残ったのは山にある団地など。ですからほぼ全滅、街が消えたと言ってもいい。

このような状況の中で、私は「被災者生活支援センター」(以下、センター)を立ち上げ、被災者支援を始めました。南三陸町の特徴は、その担い手が、一般の町民だったということです。これまで漁業でわかめの養殖をしていたような人が、被災者支援の担い手になる。プロ集団ではなくて、その辺のおばちゃんたちがなったのです。

被災してほぼ1か月後に、このセンターの設置を提案しました。ちょうど仮設住宅の建設が始まろうとしている時期でした。すぐに阪神淡路大震災のことを思い出しました。仮設住宅や災害公営住宅で、孤独死がとても多く出ました。そういう悲劇を繰り返してはならない、という思いでした。

実際にセンターが立ち上がったのは２０１１年の7月19日。南三陸町では、サテライトセンター6か所、本部1か所の合計7拠点に、合計１００人もの職員が配置されました。

センターの基本は3層構造になっており、少ない資源を効率的、効果的に生かすことを意図しました。一番下の第3層に大量の町民を据えました。一番上の第1層には、町にいるわずかな保健師。中間の第2層に、トリアージする人、つまりコミュニティソーシャルワーカーのような人財と、数名の看護師を配置しました。

第3層の多くの町民から集まってくるきめ細かな情報と、それを評価するわずかな専門職による専門的な対応、これらが相反することなく回るような構造です。なぜ町民にこだわったかというと、最終的にこの人たちが長期にわたって町を動かしていく大切な人財だからです。

一般的に支援員というと、仮設住宅を巡回して歩く人を言いますが、南三陸町の場合は、「巡回型支援員」の他に、「滞在型支援員」と「訪問型支援員」という存在を作りました。

特徴的なのが「滞在型支援員」です。これは、仮設住宅に住んでいる人自身が、自分の仮設住宅の中で見守りをする役割。滞在型支援員は、平均74歳くらいの高齢者にあえてお願いしました。

今回の震災では、多くの「みなし仮設」、つまり既存のアパートなどで暮らす人たちが出ました。「訪問型支援員」は、そういう人たちも仮設住宅と同じように見守る役割です。宮城県内についてはすべて回っていました。そのほか、全国に散らばっている方については、電話で対応をしています。

地域に軸足、高齢者の自律を支える

生活支援員の仕事は、手さぐりで始まりました。仮設住宅の一戸一戸を訪問して、名前や職業、年齢を聞いて、一人ひとりを覚えていった。そうすることによって、被災者の生活、安心、安全を守っています。彼らを町の復興、発展を支えていく人財として育てたいと思って、南三陸町に留まっていました。滞在型支援員さんは、前もってマークしている人を朝晩訪問して、変わりがないか確認をしています。南三陸町で孤独死ゼロを更新している、大きな力になっていると思います。南三陸町の支援は、地域に軸足を置き、自律を促して支える「支縁」です。

支援員さんが仮設住宅を回っている時に、ハーモニカが大好きな98歳くらいのおばあちゃんがいました。何とか晴れの舞台をつくろうと、「えんがわこんさーと」というイベントを開き、皆さんに披露しました。

この方は100歳ちょっと前に亡くなりましたが、この時のコンサートのことをすごく喜んでいたそうです。支援員さんのちょっとした工夫によって、おばあちゃんを要援護高齢者ではなくて、社会資源にしたのです。コミュニティソーシャルワーカーの仕事も、そういうことだと私は思います。

支援員さんは毎朝のようにラジオ体操を仮設住宅で開きます。歌津の仮設住宅では、スロープに「長生き坂」という名前を支援員さんが付けました。看板を立てると、おばあちゃんたちが面白がって坂を登るようになりました。

「1回登れば　息が切れる　2回登れば　足腰が丈夫になる　3回登れば　笑顔になって福がくる
毎日登れば　健康になって　お迎えはまだ早いと　閻魔様を追い返せる」

この話に感銘を受けた仙台市の議員さんが、詩を作ったことをきっかけに、音頭が出来て、南三陸町の地元の歌手が歌ったCDも出ました。

長生き坂みたいなものを使って高齢者が健康になり、介護保険を利用しなくなると、市町村の負担が12・5%減ります。例えば、デイサービスを利用しなくなるだけで、年間一人当たり約6万円が浮きます。100人だったら600万円。その浮いたお金を、子どもたちのために回すことができます。

そうすると、高齢者でも実は、介護予防をすることで街づくりへ参加できるということになります。支援員さんの取り組みによって、未来の子どもたちに豊かなふるさとを残してあげられるのです。

「支援」と「支縁」と「志縁」

南三陸町では、3段階の「しえん」を経た地域福祉を目指しています。

最初は「支援」。これは私は手へんの支援と言っています。立ちすくんでしまっている人たちに対して、支援員が積極的に手を差し伸べる。次に「支縁」。仮設住宅で「お互いさま」という関係が育つように支援する。そうすると再び近所との地縁を大事にするようになる。そういう支援を「支縁」と言います。最後に「志縁」。仮設住宅から災害公営住宅に移る際には、新しいコミュニティをつくる志を支える「志縁」が必要になります。

このような3段階の「しえん」によって、最終的には「地域福祉」を目指すことを心掛けています。

南三陸町の被災者支援の特徴は、生活者である住民自身が、被災者支援の担い手になっているということです。彼らの智恵、現場力を生かす。そのために、丁寧な訪問によって関係性を築いている。長い復興・発展の過程を支えるために、被災者支援の先を見据えて、町民を主役にした持続可能性のある地域福祉システムの構築を目指しています。

被災者生活支援センターは、国の緊急雇用制度、緊急雇用創出事業が財源です。でもこの事業で生み出したのは、被災者の雇用ばかりではなく、実はもっと大きな南三陸町民としての社会的な役割というものも生み出したのではないかと思っています。

震災から5年が経ち、応急仮設住宅から少しずつ災害公営住宅に移りつつあります。あちこちで盛り土も進んでいます。仮設住宅では、少しずつ人がいなくなり、地域の安心安全を管理することが難しくなってきている。仮設住宅の集約化も課題として見えています。高台移転や災害公営住宅への移動によって、新たな住まいで新たなコミュニティを作っていく必要性も出てきています。

被災者は、一時避難所、二次避難所、仮設住宅という風に移っています。それから、自立再建、災害公営住宅、防災集団移転を待つ。ここまでで、既に5年も経っています。でも、これは行政が怠慢だということではない。山を削って、土地から作っていかなければならないからです。リアス式海岸ですから、残っている土地はほとんどない。土地の造成には時間がかかります。

被災者の生活環境に変化

最初に、応急仮設住宅の集約化があります。南三陸町では、入居率が30％になったら、58団地2195戸を8団地669戸に縮減、集約します。2015（平成27）年の入居率は77・3％でしたが、自立再建や災害公営住宅への入居が進んでいるので、2016年には30％位になるのではないかと言われています。ただ、現実的にはこう早くはいかないと懸念しています。仮設に入っている人たちは、いつ集約化されるのだろうと落ち着かずに暮らしています。

それから仮設住宅に残っている人の高齢化。住民はどんどん抜けていきます。抜けていく人は若い人とか、比較的ちゃんと仕事があって資力がある人なので、結果として残るのは、ご高齢の人が多くなるわけです。仮設住宅の自治会の機能も、段々と弱くなっている。仮設住宅で「取り残され感」が増してきて、多くの人たちは落ち着かない日々に苛まれています。なので、仮設住宅の中で一緒にお話をしてもらうだけでも、たぶん彼らは物凄く心強いのではないのかなと思います。

最後に、災害公営住宅に移った人が抱える新たな生活への期待と不安。災害公営住宅に移る人の多くは、年金生活者が多い。入居と同時に、高齢化率50％、限界集落化が予想されている状況です。入居状況、世帯構成が著しく偏っているので、自治会、町内会の設立維持が非常に難しい。こちらが災害公営住宅で抱えている課題です。

そして、共益費や自治会費は当たり前にとられる。例えば共益費が6000円とすると、大した額ではないと思われるかもしれないですが、年金を満額もらっている人は少ないので、3万円くらいの年金で暮らしている人にとってはきついんです。そうすると、集会所の光熱費が大変なので、普通は閉めておくようなことが起きてしまう。

阪神淡路大震災を調べたところ、同じようなことが起きていました。集会所が閉まっているところがとても多かった。多くの理由が、共益費が大変だからということでした。みんなが集まる場所は、災害公営住宅では集会所しかない。集会所が閉まってしまうと、どうしても自分の家に籠るしかない。なので、災害公営住宅に行くと、本当に人が住んでいるのかと思うくらい、しーんとしています。この状況が長く続くと、生活不活発病になり、段々動くのが億劫になる。で、知らない間に孤独死をする。現に、宮城県でも、ぽつんぽつんと孤独死の報道が出るようになってきました。

阪神淡路大震災で起きたことが、今回の震災でも起きるのではないかと私はとても心配しています。そういうこともあって、コミュニティの再構築が、いま被災地では課題になっています。

災害公営住宅については、前の集落から移ったので大丈夫だとよく言われますが、決してそういうことではない。なぜなら、彼らのコミュニティは非常に狭い単位だからです。引っ越しをして、もう一回新しいコミュニティに入らなければならない。震災前までは一戸建てに住んでいて、お互い当たり前に訪問していた。でも、災害公営住宅では団地、マンション生活を強いられ、同じようにコミュニティが成り立つとは到底考えられない。孤立化、孤独化しやすい、慣れない生活環境で暮らしています。プライバシーが守られるということは、同時に他者との関係もなかなか保ちにくい、ということになります。

ですので、災害公営住宅に移ったから、それで「復興」だとして、様々な制度の支援が打ち切られるのは、ちょっと違うのではないかなと思います。なんとか彼らの力で、残っている力でコミュニティを維持していくための支援、枠組みがあって初めて、復興がなしえるのではないかなと思います。

地域人財を生かした地域支援へ

あらためて、なぜコミュニティづくりなのか。快適なハード（災害公営住宅）は自己完結能力が高い。反面、孤立化傾向を助長する。このコンフリクトを打開するのがコミュニティです。私は、コミュニティ形成のためには、「日常」と「非日常」の交差が必要だと思います。交差をつくるために集会所があります。「日常」と「非日常」が交差するような、コミュニティをみんなの力を借りながら作る必要があります。

例を挙げます。南三陸町の住民が暮らすお隣り登米市の南方仮設住宅は、350戸の一番大きな団地です。そこでは、クラブ活動を生活支援員さんが仕掛けて、コーラス倶楽部とか手芸倶楽部等13団体が自主的に運営しています。災害公営住宅や防災集団移転、みなし仮設で暮らして、散り散りバラバラになっている人たちが一緒になって楽しむ、そういう仮設住宅を超えた集まりが必要です。

いま南三陸町では、生活支援員による個別支援から、地域人財を生かした地域支援への転換の流れが進められています。支援員の人数は減らしていますが、これからの長い復興を支える人財となってもらうため、「ほっとバンクメンバー」という相互見守りの制度を創設しました。この中には退職した支援員さんもメンバーとして入っています。

こういう制度設計をして、生活支援員経験者を地域福祉の人財として活用する、被災者支援を地域福祉に結び付けていく。そして、町民相互の「お互いさま」が当たり前になる、そんな地域社会をつくっていく。身の丈にあった持続可能性のある地域づくり、相互見守りのある地域づくりを目指していく。私は、被災者支援は、人間の安全保障として捉えることが必要だと思っています。

震災5年から先、コミュニティづくりがとても大きな課題として私たちに突き付けられています。震災前は近所付き合いが当たり前で、わざわざ「コミュニティ」と言わなくても、成り立っていた。しかしマンション型の災害公営住宅では、何らかの行事をつくって初めて近所付き合いが起こる、そんな状況になっています。

これからの支援のありようとしては、「人による支援」というものから「場による支援」ということに移っていくように感じています。地域の生活文化を見直し、場の力、相乗効果を上手く使う。よその力を生かす。そのような視点が、これからのコミュニティづくりには必要かなと思っています。

そのためには、「新たな住まい方への準備」、「町づくりとしての地域包括ケアシステムの構築」、「自律を促し志しを支える志縁」、そして「記憶の記録」が必要です。失ったもの、記憶は消えてしまうので、きちんと記録をして、それを礎として新しい町づくりをしていく。

「受縁力」を養い、被災地に関わって

みなさん、可能であれば南三陸町や被災地に来ていただいて、「交流人口」として何らかの関わりを持っていただけたらと思います。ある仮設住宅に入ったら、一緒になってお祭りを支えることも良い。記憶を記録するということで、立教の学生さんと先生方には、南三陸町にどっぷり入ってもらって、生活支援員の活動の聞き取りをしたり、記録をしてもらったりしています。こういうようなことが、地元にとってはとても大きな力になるのです。

いま被災地に求められている新たな力は、「受縁力」です。受縁力とは、支援する力です。すなわち、みなさんの力と、元々地元にある「地域の力」を編む力。その両方の力を編みこむ力を「受縁力」といっています。その「縁」というつながりを活かして双方の力を編みこんでいく試みが、今の被災地に必要な支援です。それによって、復興を成し遂げることができると思っています。ですからみなさん、ぜひこの「受縁力」というものを養って、何らかの形で被災地に関わっていただければ幸いです。

悲惨な記録や暗い話ばかりではなくて、根強く再興していく日本人の力、そういうようなものに着目して、それを復興に役立てる、ということがとても大事ではないか。私は、南三陸町で、支援員のお母さんたちが一生懸命、復興のために頑張っている姿をみなさんに伝えることが、大切だと思っています。

＊

被災者生活支援センターは、生活を支援するところです。では、生活のプロって誰なんだろうと思った時、生活のプロは主婦です。ですから、彼女らをセンターの支援員にすれば、プロ集団になるんです。こういう例があります。支援員さんが仮設住宅を訪問したら、住民の方に会えなかった。でも、「午前中に行ったときの靴の並び方と、午後に行ったときの靴の並び方が違っていたので大丈夫です」と言う。それが、彼女らの知恵なんです。それが生活支援の専門性なんです。

震災から一周忌の3月11日。その日も支援員さんは、仮設住宅を回りました。私は支援員さんに、黒い喪章と名札をつけて回りなさい、そして、ただ巡回をしなさい、と言いました。そうしたら、支援員さんが泣いて戻って来たんです。

今まではろくに返事もしてくれなかった人に、「今日も俺たちを見守っててくれたのか。お前だって、亡くなった人や家があっただろうに。ありがとうな」と言われたそうです。初めてその人にお礼を言われ、この生活支援員制度は、住民に受け入れられたのかもしれないと思った、と話してくれました。

（2015年6月2日、全学共通カリキュラム「震災復興とコミュニティの再編」講義録から）

目に見える復興、目に見えない復興

武内宏之さん
石巻ＮＥＷＳé e館長（石巻日日新聞社常務取締役）

震災直後は地獄絵図のよう

震災から5年目になります。石巻市の町を見ると、あちこちにクレーンが立って、民間のマンションやら復興公営住宅の建設が、もの凄い勢いで始まっています。復興が本格的に始まってきたことが、目で確かめられるようになってきました。

震災直後、私たちの目の前で起きた出来事は、地獄絵図のようでした。住んでいる町が瓦礫と化して、たくさんの方々が亡くなりました。石巻は、東日本大震災の被災地の中でも、人的・物的最大規模の被災地でした。亡くなられた方は約４０００人にのぼります。

その内訳は、いわゆる直接死が約３２００人で、行方不明者は約４２０人になります。被災地では毎月、月命日の11日に捜索を行っています。石巻の沿岸、南浜地区の捜索で、つい最近、人骨のようなものが出てきてＤＮＡ鑑定をしたところ、行方不明者の名簿にあった方だったというニュースが、震災5

年目に入っても、まだ出てきています。

ほかに、関連死といわれる方々がいらっしゃいます。関連死とは、津波からは逃げて命は助かっても、その後の避難所や仮設住宅等の生活で亡くなられた方々です。

避難所生活は半年間続きました。学校の体育館や教室、公民館などで、震災前まで知らなかった人と一緒に、孤軍奮闘しながら避難生活を送りました。その後、仮設住宅には移りましたが、震災前と比べて生活環境、住環境はがらりと変わってしまいました。そういった新たな環境で体調を崩し、悪化させて亡くなった関連死の方々を含めて、約4000人が石巻では亡くなっています。

震災翌日から、手書きの壁新聞を発行

2011年3月11日午後2時26分。石巻日日新聞は夕刊紙ですから、ちょうど夕刊を刷り終えたところに地震が来ました。物凄い勢いです。部屋が歪んでいるのが分かりました。確実に3分以上は揺れていました。女性スタッフは「永遠に揺れ続けるのかな」と言っていました。津波は約1時間後に襲ってきました。

直後から停電してパソコンも使えない。津波で新聞社の輪転機も水没してしまいました。本来なら何もできる状況ではなかったのですが、社長が私たちスタッフに、こう檄を飛ばしたんです。

「こういう時こそ活動しないでなにが新聞社か。平時に新聞を出すのは当たり前。こういう非常時、異常時こそ新聞を出す、情報を出すのが新聞社だ」

その言葉は私たち社員の心に突き刺さりました。じゃあ何をする、とスタッフと話し合っているうち

に、私は社にある一つの伝説を思い出しました。

石巻日日新聞は、１９１２（大正元）年に創刊されました。昭和の戦時中、国が一県一紙統合という政策を出しました。１県に１紙の新聞しか許しませんと。私たちみたいな地域紙、小さな新聞社は、一つの新聞社に吸収されるか、廃刊しなさいという命令がきたわけなんですが、私たちの先輩は、国の命令を突っぱねて新聞を出し続けました。当時、紙は配給制で印刷していたので、配給もストップされ、瀬戸際に追い詰められたんです。「やむなくペンを置く」と読者にはメッセージを送って、公的には新聞は休紙という形になりました。ただ、その後も先輩たちは、わら半紙、いわゆる模造紙をもってきて、鉛筆で手書きで記事を書いて地域に配っていたという伝説がうちの会社にあったんですね。「じゃあ先輩の言うように、ペンと紙さえあれば、伝えるという仕事はできるんじゃないか」となったんです。

３月12日から手書きの壁新聞を作って、毎日６枚作りました。うち５枚は避難所に、残りの１枚は高台のコンビニの店頭に貼らしてもらって、そういう活動を６日間続けました。その後、ようやく電気が復旧して輪転機が動きまして、３月19日からブランケット版という大きな１ページを避難所に張り出しました。震災の年の10月まで避難所には無償で新聞を貼らしてもらっていました。

私は震災当日の夜から取材を始めました。先ほど「地獄絵図」という表現を使いましたが、瓦礫だけだったら何とか我慢できました。ショックだったのは、その瓦礫の中に亡くなられた方々がそのままになっていたことです。私は新聞記者を35年やっています。事故・事件で亡くなられた方を見た経験もありますが、震災後は本当におびただしい数の方々がそのままになっている状況でした。このまま取材していたら心がつぶれてしまうと、自分でも思いました。

津波のあった夜、懐中電灯でそのような光景を見た私の頭の中に浮かんだのは、「ここまでやられたらやるしかないな」という言葉でした。こういう光景を見続けたら、本当に気が狂う、心がつぶれてしまう。今考えたら、自分を自分で鼓舞する、心をもたせようとしたんでしょう。

現実に向き合わなくてはならない時期を迎えて

震災と復興というテーマについて考えます。20年前（１９８５年）の阪神淡路大震災の時、16年後に私たちが震災の当事者になるとは思いませんでした。そして、１０００年に1回という規模が私たちの前で展開されていきました。

震災を振り返るというよりも、無くした家をどうするか、無くした仕事をどうするか、と被災地の人たちは前を向きながら一生懸命頑張ってきました。仮設住宅に入り、２０１４年の春あたりから、何とか生活が回せるようになった。生活が回せるということは、つまり、夜になって寝て、朝起きて、仕事に行って学校に行って、そしてまた家に帰ってきてという、いわゆる何気ない生活です。

震災直後から、私たちは被災した人たちと被災地を記録する取材をしてきました。ただ、1年目、２年目というのは、なかなか自分の体験を話してくれませんでした。話を濁したり、涙を流し始める人たちが多かった。震災の話を出すと無表情になる子どもたちもすごく多かったです。能面のごとく表情がなくなったことを記憶しています。

そういう被災した人たちも、２０１４年あたりから、むしろ話し始めてきているなと感じました。そろそろ被災した人たちも、あの出来事を心の中で整頓しはじめた時期だったのかなと。

仮設住宅の高齢化率（65歳以上の割合）は、石巻市で35％、隣の女川町では52％、2人に1人以上は65歳以上です。生活が回せるようになってきて、ふと一息ついて、さてこれからどうしようと考えるんですが、高齢の方は年金生活で新たに土地とか家を建てたいと思っても融資を受けられない。若い人たちもなかなか安定した職業を見つけられない。石巻の求人倍率は1・6ですが、その雇用は何かというと、いわゆる土木業という仕事です。

それは復興特需ですから、復興が例えば10年で終わるとすれば、復興が終わると仕事がなくなる。若い人たちは、求人はあってもなかなか自分が求める仕事が見つからないという、いわゆるミスマッチが起きています。震災直後から頑張らなければと一生懸命頑張ってきました。後ろを振り返らないで前を向いてきましたが、現実に向き合わなければならない時期を迎えています。

平成25年には42人の方が自殺されています。42人というのは、震災前の石巻の平均自殺者数の約2倍。阪神淡路大震災で一番自殺者が多かったのが、震災後よりむしろ3年目だったといいます。ですから、平成26年は自殺防止キャンペーンがあって、心の相談窓口を設けたり、NPOの皆さんが仮設住宅の見守り隊などをしたりして、被災された方の心のケアにあたっていました。その成果か、平成26年には31人に減らすことができました。

ただ、その31人を年代別に分析してみると、特に30歳代が多いのです。それまでは高齢者が多かったので、自殺の低年齢化という課題も出ています。時間が経って落ち着くのではなくて、目に見えないところで何かが起きているなと、現地の新聞記者として仕事をしていると感じがします。

我慢強さがマイナスに働く

もうひとつの課題は、子どもたちです。小中高の子どもの不登校が増えているという状況が報告されています。不登校は全国的な課題ですが、宮城県はじめ被災地の児童生徒が多いという話です。宮城県の場合は、原因を突き止めていくと、震災の影響が初めて分かりました。

時間が解決してくれるとよく言いますが、被災した人たちの話を聞いていると、むしろ関心を持たないといけないと思うのは5年目以降で、なおさら課題が新たに出てくるのではないかということです。

震災後、「東北の人たちは我慢強い」と称賛された記事がありました。たしかに我慢強いという印象を受けます。外国の方から、「なぜお前たちは心を乱さないんだ」「略奪を起こさないんだ」という質問を受けたことがありますが、その称賛された我慢強さというのは、いま、むしろマイナスに働いているという風に思えてならないんです。震災直後に被災した方は、精神的に不安定な状況になっていると取材していて感じます。カウンセラーの方が、「何か悩みがありませんか」ということを質問しても、自分の弱さを他人に知られてしまうという意識が強く、我慢してしまうんですね。

福島で活動されている精神科の先生が書かれた本に、こんなことが書かれています。震災後、PTSD、心的外傷後ストレス障害の症状にかかっている人をそのままにしていると、今度は心の病の方に移っていくと。ただ眠れないとか、イライラする、思い出すと心臓がどかどかするという症状で済んでいたのが、今度は心の中にたまっているものがどんどん固くなっていって、精神的な病に移っていくという。その代表がいわゆる、うつ病。うつ病の終着駅は自殺だと。ですから、まずPTSDの人たちに、早く溜まっているものを吐き出させるということが大切だ、ということが著書の中には書かれています。

石巻では、波の直撃を防ぐかさ上げなど、２０１５年あたりから目に見える形で復興が進んできています。２０１５年が復興元年。これまでは、いわゆる復興に向けた準備。復興に向けた線路がつながったという状況だと思います。

しかし、目に見えない復興がちょっと気になります。震災後、一生懸命頑張って再開した企業が息切れするのではないかということがささやかれています。時間が経って落ち着くのではなくて、また新たな課題が見えてくると。仮設住宅にはまだ約９０００人の方がいらっしゃいます。時間が経つことで、復興格差の幅を広げているとも言えます。私たち被災地の地元の新聞記者としては、自分の足で立てない人たちに何ができるか、どういう環境をつくればより生活が安定してくるのか、そういったものを日々見つめて、社会に提言し続けることが必要かなと思っています。

人間の底力を感じてほしい

復興に特効薬はありません。立教で復興支援活動をされていた学生さんが卒業後、石巻の介護事業所に就職をしました。そのような話を聞くと、被災地のひとりの人間としては、すごく嬉しいです。若い人たちが被災地で頑張ってくれることは、復興に弾みがついて、将来もある、そういう期待が膨らみます。石巻に来たら、まず景色を見たらいいよというのが、ひとつのお勧めです。津波の怖さ、自然災害の怖さを知ってもらう。被害を受けた地域を視察することです。

今は5年目です。私は、復興してきている施設や人びとを見てほしいと思います。自然災害の怖さを感じるだけで帰ってほしくない。１０００年に1回といわれる災害で、打ちのめされても立ち上がってきた人間の底力を見ていってほしい。再開して頑張っている企業もあります。どんな状況でも、人間は気の持ちよう。そういうことにも触れて、見て、感じてほしいなと思います。

＊

震災5年目のこの時期に、私たちは何を伝えなくてはいけないのでしょうか。目に見える復興と、目に見えない復興、そこに広がっている格差をどう考えればいいでしょうか。目に見えない復興を見ようとすることが、被災地を理解するきっかけになるのではないかと考えています。報道は社会を見るための望遠鏡でしかない、という視点でマスコミを見ていただきたい。被災地のことを全部なんて、いくら記者でも書けるわけがありません。いま被災地で伝えなければならないことは何かと考えて、報道しているだけです。そういう視点で触れてみると、新聞記事、テレビのニュースも有効な手段になるのかなと思います。

被災地のことをもっと知りたいという時は、立教の皆さんのように、被災地に来て、自分の目で見て、自分の耳で聞いてください。帰ったら友達や近所の人に伝えてください。それこそ、本当のジャーナリズムだと思います。今はある意味、1億総ジャーナリストです。誰にでも発信する機会があります。スマホで写真を撮ってすぐ発信できます。発信方法では、みなさんの方が上です。

自分のテーマを持って被災地に足を運んでみてください。地元の私たちでもマスコミでも気づけない新しいものに、皆さんが気づけるかもしれません。

（2015年6月16日、全学共通カリキュラム「震災復興とコミュニティの再編」講義録から）

復興の先を見据えて

小野寺憲一さん
気仙沼市震災・復興企画部けせんぬま創生戦略室

3月11日に東日本大震災が起こって5年目を迎えています。気仙沼では、1300人を超える方々が犠牲になりました。その中には18歳以下の子どもたちも50人含まれています。別れ際、その子どもたちは、「じゃあまた明日」と言って別れました。だけどその明日が来なかった。明日が来るということは、当たり前ではないのです。私たちは奇跡的に生きているのであって、本当に今の瞬間、今日を大事にして生きないといけないと思います。

魚の町に大きな被害

東日本大震災はマグニチュード9・0、気仙沼では震度6弱の地震があり、その40分~45分後に大きな津波がありました。家や車が押し流され、ビルに逃げ込んでも、そのビルも飲み込まれるのではないかという恐怖感がありました。

気仙沼は遠洋漁業の基地です。船が給油をするための石油タンクがありましたが、23基中22基が流失しました。その油を吸ったがれきが燃えて火災が起きました。

3月11日当日、火災が起きている映像が全国へ流れ、気仙沼は火の海で全滅だという印象を与えましたが、気仙沼市の面積333平方キロメートルのうち、浸水エリアは18・65平方キロメートルに過ぎません。気仙沼はリアス式海岸で、海岸からすぐ崖になるからです。火災があったのは、鹿折地区が激しく、離島大島の森林も焼けました。浸水割合は、全体面積の5・6％でしたが、家屋の4割、事業所の8割が被災し、市内従業員の83・5％が被害を受けました。

気仙沼の震災前の人口は7万4000人でしたが、2015年現在で6万7000人と、約7000人減りました。震災前から人口が減り続けていましたが、三陸沿岸の自治体は皆そのような状況です。

震災直後の行政の対応

震災が起きた直後の対応を紹介します。

気仙沼市役所は1階に津波が入りました。当初、市役所の中に災害対策本部を置こうとしましたが、市役所自体が浸水、停電し、余震も続くので、防災センターというちょっと高台の消防の拠点に災害対策本部を置きました。ここに警察も自衛隊も日赤（日本赤十字社）も医療支援チームも集まり、連絡調整をしました。

避難所には人が殺到しました。直接的に家屋に被害がなかった人も、気仙沼全体が停電になったことでご飯を炊けない、暖をとれないという理由で避難所に押し寄せました。最大2万人が避難しました。

その後、応急仮設住宅をつくり、最終的に避難所閉鎖は2011年12月30日でした。

全国から支援物資が届きました。全国の自治体にはそれぞれ災害に備えたマニュアルがありますが、想定していたもの以上の物資が集まってしまい、さばききれず、避難所に物資が届かないという状況も起きました。当初、物資の受け入れは市税務課が担当しましたが、その後、クロネコヤマトや自衛隊が頑張ってくれました。

毎日、市長がカメラの前に立ち、気仙沼の状況を全国へ発信しました。2011年から2年間は、ブランド総合研究所「見聞きした自治体ランキング」で、気仙沼は2年連続1位でした。情報が錯綜しているので、市から適切な情報を提供しました。

インフラでは、電気・ガス・上下水道・電話、全てが被害を受けました。一番復旧が早かったのは電話。下水道は遅れ、仮設の施設を作って処理をしました。

避難者の応急的な住宅として、仮設住宅を最終的に93団地造りました。2015年現在、残っている仮設住宅は90団地で6000人が住んでいます。これはプレハブ型の仮設住宅で、その他、アパートを仮設住宅扱いにする、いわゆる「みなし仮設」という制度があり、それを含めるとまだ9000人が仮設住宅で暮らしているという状況です。

災害がれき、震災がれきは、2014年3月に処理を完了しています。

震災前の防災対策

震災前の防災対策について紹介します。

三陸沿岸は、これまでも津波被害を受けてきました。大きなものでは、明治三陸、昭和三陸、チリ地震津波。震災の1年前にもチリ地震津波があって、さらに宮城県沖地震が30年以内に99%の確率で来るということで、みんな構えていました。2011年3月11日も、「いよいよ宮城県沖地震だな」と覚悟しました。

以前から防災対策を続けていました。

1つは防潮堤を造っていました。また、災害をいち早く知らせるために、防災行政無線やツイッター、エリアメールなど、皆さんに知らせる体制を整えていました。

さらに、津波に耐久性がある鉄筋コンクリートのビルを津波避難ビルとして指定していました。実際、津波避難ビルに避難して助かった方が3000人以上いて、一定の効果はあったと思っています。市内各地区で、危険なところはどこなのか、津波が起こったらどこに逃げればいいのかと、宮城県沖地震に対応するための防災ワークショップもしていました。

加えて、避難訓練。高齢化が進んでいくと介護が必要な方もいて、その人たちをリヤカーに乗せたり担架に乗せたりして避難する訓練も続けてきました。

こういった対策を取りながらも、1300人余の命と財産が奪われたことを、私たちは非常に重く受け止めなければなりません。この先、これを超える防災対策をしていかなければなりません。震災の経験、教訓を活かす取り組みが必要です。

復興が遅い理由

東日本大震災の復旧・復興のスピードが、阪神淡路大震災と比較して遅いとよく言われます。その理由として、東日本大震災の特徴を3点にまとめました。

1点目は「地盤沈下」。国土地理院によると、気仙沼は65センチ地盤沈下しました。このため、これまで陸地だったところが満潮時には水浸しになりました。このような状況では、工場を建てようと思っても再建できません。

災害への対応としては、通常、災害復旧という制度があり、例えば、橋が落ちた場合には、管轄の国土交通省がその橋を直すための補助金をつけます。学校が壊れた時には、文部科学省が学校を直すための補助金をつけます。

しかしながら、地盤沈下を直す（かさ上げする）補助制度はありません。税金は、個人資産の形成に投資しないという原則があり、かさ上げは個人資産の形成になるのです。したがって、沈んでしまった土地は、自分の力でかさ上げしなさいということになります。工場を建てる際の補助金は出ることになったのですが、この土地をどうしようかというところが、非常に苦しんだところです。

2点目に「移転再建」という特徴があります。今回津波が来たところは、今後も同じような津波が来ると、また壊れます。人が住んでいれば人が亡くなるわけです。このようなエリアを災害危険区域として指定し、ここには家は建てられませんという規制を作っています。阪神淡路大震災であれば、同じ場所にまたビルや住宅を作ることができましたが、今回は、津波が来ないところを見つけて、家を建てる必要があります。新たに土地を見つけるステップが1つ多くなっています。

3点目は、そもそも「過疎地で起きた災害」ということです。阪神淡路大震災の時は、神戸というブランドもあり、民間の手が相当入りました。神戸の人口は、震災前150万人だったものが、震災後140万人に減りましたが、10年間で元に戻っています。

東日本大震災、三陸の沿岸はどうかというと、そもそも過疎地で、民間投資は望めない。公しか手が入れられないという特色があげられると思います。

復興計画

2011年10月に気仙沼市は震災復興計画を作りました。副題は「海と生きる」というものです。気仙沼は昔から海から大きな恵みをいただいて成長してきた町です。私たちはこれからも海と一緒に生きていくのです。

気仙沼は魚の町で、震災前、気仙沼魚市場は生鮮カツオ水揚げ日本一を続けていました。気仙沼沖は、夏から秋にかけて「戻りガツオ」のシーズンで、6月からカツオの水揚げが始まり、10月まで続きます。震災で魚市場も大きな被害を受けましたが、関係者は「6月のカツオまでには復旧させる」との思いで、復旧作業を続け、2011年6月23日に魚市場の再開を宣言し、同26日には第一便のカツオ船が水揚げをしました。その年もカツオ水揚げは日本一を続け、18年連続日本一を達成しています。

震災復興計画の目標として、「津波死ゼロのまちづくり」を掲げました。津波死ゼロのまちづくりをハード、ソフト含めて進めています。また、持続発展可能なまち、スローでスマートなまち、笑顔あふれるまちを創るということも、震災復興計画の中には入れています。単に壊れたところを直すという計画ではありません。

計画の中では、津波をレベル1とレベル2に分けて考えることとしています。数十年から百数十年で起きる津波をレベル1とし、防潮堤等で人命及び財産を守ります。今回クラスの1000年に1度の津波（レベル2）が来ればレベル1堤防を超えてくるので、防潮堤だけではなく、ソフト、ハード含めて命だけは守ることとして防災計画を作っています。

レベル1の防潮堤を造ったとしても、今回クラスの津波が来たときに浸水するところは、「災害危険区域」に指定をして、住宅を建てられないという規制をかけています。そこに土地があった人は高台に移転（防災集団移転）していただいています。ただし、災害危険区域でも工場は建てられます。昼間通うことはできますが、そこに寝泊まりはできない、といったエリアを作っています。

高台移転（防災集団移転）については、この機会に、1か所あるいは数か所に人々を集めるやり方（コンパクトシティ化）もありましたが、気仙沼はその方法をとりませんでした。気仙沼には38の漁港があり、その港を母港として海の仕事をしている方々は、みな自分たちの港が見えるちょっと高台に家を建てました。仕事とコミュニティを大切にした結果です。

高台移転については、2015年度末までに、大方の区画は皆さん方に引渡しできる状況です。高台移転というのは、土地を作るのが行政の役目。その上に家を建てるのは自分たちで、ということになりますので、家を建てられない人たちのために、災害公営住宅を作っています。

災害公営住宅が出来上がらないと仮設住宅はなくなりません。仮設住宅は当初93団地造りました。当時、気仙沼には小中学校が31校ありましたが、そのうち14校の校庭にも仮設住宅を建設しました。校庭に仮設住宅が建っている中学校では、野球もサッカーもできません。そのような状況が既に4年経っています。学校の校庭に建っている仮設住宅から先に集約していこうと思っていますが、移る先（災害公営住宅）ができないと移転できない状況です。

残された人々のコミュニティも課題

阪神淡路大震災後、20年を迎えての課題は、災害公営住宅に入った方々が高齢化して、ひとり暮らしが増えたことがあります。いずれ東日本大震災でも、同じことが起きてくると思っています。このためにも、災害公営住宅のコミュニティづくりが大切です。

全員が一斉に仮設住宅から災害公営住宅や高台移転に移れれば、新しくできた地域のコミュニティ形成だけを考えればいいことになります。しかし、実際には1人抜け、2人抜けしていく状況で、仮設住宅に残された方々の健康管理をどうするか、コミュニティをどうするか、ということがこの時期難しい課題です。

今回の震災で、「共助」が有効に機能したことで、コミュニティの重要性を再認識しました。このことから、現在はコミュニティの活動拠点となる自治会館や集会場といった場所づくりに力を入れているところです。

震災の記憶の伝承に力

今回の震災で学んだことが、沢山ありました。例えば、人々の防災意識の醸成や、地域の「共助」、コミュニティの育成が重要です。これらの教訓や今回の震災の記録・記憶を伝承し、防災に関する教育プログラムを作っていくことなどを、現在、被災地の使命として進めているところです。

気仙沼にはリアスアーク美術館という施設があって、東日本大震災の記録と津波の災害史に関する展示をしています。震災の数日後、気仙沼市長が美術館の学芸員に対し、被災地の写真撮影や被災物の収集の指示を出し、最終的には写真3万点、被災物も250点収集しました。いま、それらを美術館で展示しています。当時、この調査を行った学芸員は、隣りに遺体がある中で写真を撮ることを非常に心苦しく感じたと話していますが、現在では大変貴重なものとなっています。

さらには、震災当時の状況を直接体験した人が話をする語り部の活動もしています。有名になった「第18共徳丸」は、内陸に750メートルくらい打ち上げられ、JR「鹿折唐桑駅」前に停まっていました。これを震災遺構として残そうと議論が湧き上りましたが、最終的には解体することとなり、今はなくなってしまいました。

その代わり、海から500メートルくらいのところに建っている気仙沼向洋高校という被災した水産系の学校を震災遺構として残せないかと検討しているところです。4階まで津波が押し寄せ、3階には車が突っ込んでいて、屋上に上ると海との位置関係も分かります。

震災前からの取り組みと併せ、震災の教訓を全国・全世界に、さらに将来・未来の世代にどう伝承するかという被災地の使命を、いま検討しているところです。

世界の港町に

復興事業が続いていますが、気仙沼が今、どのフェーズにいるかということを考えてみましょう。

東日本大震災が起きた時に最初にしたことは、「救助」という行為です。救助とは、たとえば遺体の捜索とか埋葬とか、避難所の設置とか仮設住宅を作るといったものです。このような応急救助にかかる費用には、「災害救助費」という補助金が充てられます。所管は厚生労働省（平成25年10月より内閣府へ移管）です。

その後、「復旧」のフェーズに入ります。復旧になると、「災害復旧費補助」という各省庁がもっている補助金が充てられます。例えば、学校は文部科学省の補助金を使って直します。橋は国土交通省の予算です。さらに、東日本大震災では復興庁ができて、「復興交付金」という補助制度が作られましたので、それが復旧からちょっと復興にかかるものです。

次に、「復興」のステージになります。例えば、向洋高校を遺構として残そうとか、商店街を再生し、にぎわいを戻そう、というのが復興のステージです。

気仙沼の今の状況は、仮設住宅が続いていることから救助のステージを脱しきれていません。一方、復旧の事業も復興の事業も進めています。

このような中、ふと立ち止まって考えてみると、震災前からの課題が以前にも増して大きくなっている状況でした。人口減少、少子化、高齢化が進んでいます。行財政改革、行政のスリム化もずっと言われています。環境問題、コミュニティの問題もあります。こういった課題が、震災前からずっと続いています。震災後は、壊れたところをどう直すかといったところに意識がいっていましたが、実際には震災前からの課題への対策も必要で、国は都市への人口集中・高齢化、全国的な少子化に対し、地方創生を打ち出しました。

気仙沼には、高校を卒業した後の上級学校がなく、就職も含めて仙台とか首都圏に若者が出ていきます。高校1年から3年生まで2100人あまりにアンケートをとったところ、「将来、気仙沼に帰郷・定住したいですか」といった質問に対して、「したい」と答えた生徒が56％いました。この思いの達成には、気仙沼から外に出て身に着けた知識や技能・技術を活かせる職場環境を作っていかなければなりません。

それでも人口減少は続きます。人口が減ることを賄うためには、観光あるいは長期滞在という施策が重要になってきます。観光客に気仙沼に来てもらうためにどうするかという戦略を立て、そのプロジェクトを今進めています。

復興はもちろん、次の時代を見据えて、震災前よりも良いまちにしたいと考えています。若者が住みたくなる、他の都市にない気仙沼らしい魅力創造。海を中心に自然をベースとした生活。スローシティ、スローフードの思想。都会のまねはしない。ミニ東京を目指さない。そのような中でも、産業は国際的に展開する。最終的には、日本一活気あふれる港町を目指しています。称して、「地方にある世界の港町」というイメージを今、持っています。

今日を生きつつ、明日も見る

立教大学からは、気仙沼の特に大島に支援をいただいています。大島で開かれる「気仙沼つばきマラソン」では、給水などのお手伝いをいただき、私もハーフマラソンを完走できました。

被災地のことが気になっているけれど、何かボランティアをしないと行けない、と思っている人たちがいます。しかし、そんなことはありません。気軽に被災地を訪れてください。町を見るだけではなくて、例えば食堂に入ったら、マスターに声をかけてみるとか、地元のおばちゃんに声をかけてみるとか、そのようなことでいいのです。そうすると、その町のことが分かるし、一度行ったことがある町はなんとなく気になるものです。その後、ニュースで見ても、あるいはスーパーに行って気仙沼産の商品を見ても、気になる存在になります。ぜひ、気仙沼へお越しください。

「じゃあまた明日」。明日が来ることは奇跡的なことで、当たり前なことではないのです。ならば、すべて今日やらなければいけないのかと言うと、未来に向けた目標もしっかり見ることも必要です。5年後、10年後の気仙沼をどうするか、という未来を見据えながら、今のまちづくりを進めなければいけません。

「じゃあまた明日」が持つ意味と、自分の決めた目標を見つめること。それらの両方を併せ持って生きていただければと思います。

（2015年4月28日、全学共通カリキュラム「震災復興とコミュニティの再編」講義録から）

第IV章

支える

交流する

学ぶ

つなぐ

復興支援ってなんだ　学生座談会

始めたきっかけ、続ける理由、そしてこれから

支援活動を始めたのは〝なんとなく〟

――自己紹介をお願いします。

谷廣　じゃあ、僕が最初に。コミュニティ福祉学部政策学科の谷廣波津樹です。震災復興支援プロジェクトのプログラムに参加したのは２０１３年の５月が最初です。気仙沼大島に行きました。

実はその前に、知り合いに頼まれて、被災した石巻の小学校の移転作業を手伝ったことがあったんです。夜に近所のスーパー銭湯に行って、お世話になったおじさんと話していたら、「石巻はね、15年先の日本を表しているんだよ」と言われました。最初は意味がわからなかったんだけれど、考えてみれば、この先日本がどんどん高齢化していって、南海トラフ沖地震や首都直下型の地震が起こるかもしれないわけで、その話はけっこう印象に残りました。そんなとき、たまたま授業を受けていた教授に支援室を紹介されました。メインは大島だけど、陸前高田やいわきのプログラムにも参加したことがあります。

渡辺　経営学科４年の渡辺鴻樹です。

父が福島県の出身で、原発事故の後に小学生のいと

こがうちに避難してきたので、原発事故が身近な問題でした。いとこの今後のことで父とおじが喧嘩することもあり、誰も悪くないのにみんなが不幸になっていく感じがすごくイヤでした。でも、そのとき自分は受験勉強に追われて何もできなかった。大学に入って時間ができたので、なにか復興支援の活動をしたいなと思いました。

　そこで、あるＮＰＯ法人が主催していた南三陸での海岸清掃ボランティアに行ったんですけど、なんか違和感があったんです。一回きりの作業で終わってしまうので、未来がないというか。ただ、そこで復興商店街の寿司屋のおじさんと話したのがすごく楽しくて、印象的でした。このプロジェクトで東北の人たちと関わるようになってからは、すごく次が見えた感じがありました。自分の中に活動を続ける理由を見つけられたので、今も参加しています。

乾　コミュニティ政策学科３年の乾佳介です。

　僕は岐阜県の出身で、震災の時は岐阜にいました。高校のときの被災地へのボランティアはそんなに志が高くなくて（笑）、ボランティアバスが出ていたので、仲間を誘って行こうぜっていうノリで、泥出しとかをやりました。

　大学でコミュニティ福祉学部に入ったので、どうせなら復興支援活動に行ってみようと思って、その第一歩が陸前高田プログラムでした。次に気仙沼大島に行ったら、子どもたちがまわりにいっぱい集まってきてびっくりしました。僕は４人兄弟の末っ子で、年齢が下の子と話すのが苦手だったんですけど、子どもたちにケイスケ、ケイスケって呼ばれて、「次いつ来る?」みたいに言われるので、うれしくて、ちょっととりこになった感じです。

門倉　現代心理学部映像身体学科３年の門倉啓介です。

　僕は1年生の最初、体育会系の部活に所属していたのですが、夏になってそこを辞めました。それで何もなくなったときに、ツイッターでＴｈｒｅｅ―Ｓのゼロバスツアーを知って、何となく参加したら、これが楽しかった。特に何かするわけでもなく、現地の人の話を聞いたり、交流していただけなんですけど。運よく周りの先輩たちからまた誘ってもらって、次に石巻に行きました。それから、２０１４年2月に初めて自分から行動をおこして気仙沼大島のプログラムに参加して。どんどん深みにはまっていったのかな…。

　最近まで、Ｔｈｒｅｅ—Ｓの代表をやっていました。以上です。

池澤　法学部政治学科４年の池澤彩加です。

　震災のときは高知にいて、揺れはなかったんですけど、津波が30㎝来るというので授業が中止になりました。その後テレビで東北の津波を知って驚きました。大学に入学して東京出身の人と話をしていたら、計画停電とかがあって大変だったと聞いて、同じ日本なのに知らなくて恥ずかしいなと思いました。

　被災地での活動は、一歩踏み出すのが怖いみたいな感じがあって、大学3年生の夏に初めて陸前高田のプログラムに参加しました。その後に気仙沼大島の活動に参加したら、子どもたちとの交流があって楽しくて、最近はいわきにも行って、少しずつ行く拠点を増やしています。

笠原　コミュニティ福祉学部福祉学科3年の笠原彩芳です。

　私も高校生の時に３・11があって、でも千葉だったので、揺れの直後は深刻にとらえていませんでした。大学で復興支援活動をしようとは全然思っていなかったんですけど、サークルを決める時、友達に「ボランティア系が就活にいいらしいよ」と言われて、それもそうかなと思ってＴｈｒｅｅ—Ｓに入りました。友達が入ったので、流されるままです（笑）。でも入ってみたら、いわゆるボランティア団体とは違っていて、就活どうのこうのというきっかけを忘れるくらい楽しんでました。

　最初に行ったのは気仙沼大島のプログラムで、

気仙沼のみなとまつりに参加して島の子どもたちと一緒に踊ったんですけれど、楽しい！って思いました。でもその1週間後に陸前高田に行ったら、3年たっても復興なんてまだまだだなと感じて、そこからちょっと考えるようになりました。よろしくお願いします。

東北に通い続けるのは…

門倉　みんなの自己紹介を聞いていると、なんとなくとか、ノリで、という人が多いですね。それ、すごくいいなと思いました。座談会をするぐらいだから、それじゃいけないかなと思っていたんだけど。

乾　正直、最初は助成金も出るし、海鮮丼はうまいし、小旅行じゃんみたいな感じで行っていました。でも、きれい事でも何でもなくて、子どもたちといるのが純粋に楽しくて、行った後にはめちゃ幸せだったなって思う。始めるきっかけは何でもいいんじゃないですかね。

渡辺　僕は気仙沼大島で子供たちと仲よくなって、それが楽しくて参加していたんですけど、途中から何の意味があるんだろうと思い始めました。子どもと遊んで、終わり。何だこれ、みたいな。子どもと1時間半や2時間一緒に勉強しても、たいしたことは何も教えられない。たあいのない話をして、じゃあまたねって。自分の限界みたいなのを感じました。

そうしたらすごくもやもやしてきて、でも、今度はそのもやもやが、次の活動の原動力になった気がするんです。復興は答えがない話が多くて、自分が何をやっているのか分からなくなったりもするけど、だからこそ僕は行きたいのかなと思いました。

谷廣　始めるきっかけと、続けるきっかけは違うよね。

渡辺　続けているうちに子どもの成長を感じることがあって、それは単純に、ほんと、うれしいんですよね。初めて会ったときに小学1年生だった子が、今は4年生になっているんです。復興支援とは関係ないかもしれないけれど、その子が楽しそうにしているのを見るだけで、すごくうれしい。

僕は日頃からそういう感情をあまり持たない人間なんですけど…（笑）。

谷廣　でも、うれしいっていう気持ちは、それが活動を継続する決定的な理由にはならなくないですか？　俺はそれよりも、渡辺君が最初に言っていたように、もやもやを感じたり、自分の居場所、存在意義みたいなのを見出したときに、「あ、続けていこうかな」と思う気がする。例えば、地域のお祭りを盛り上げたり、もっとミクロに、あのおじいちゃんの手伝いをするとか。これは俺にしかできないと思える、そういうつながりを感じられることのほうが大きいかな。

笠原　私は、復興支援活動を自分の負担にしないというのを、自分の中のルールにしています。吹奏楽とか別のサークルとか、この活動以外にもいろいろとやりたいことがあるからです。活動を楽しいものにしたいから、行かなきゃいけないという気持ちでは行かないと決めています。

乾　それには共感します。僕は、自分にできることをやればいいし、できないことは他の誰かがやると割り切っているので、これからどうするかについては、あまり深く考えないんですけど。

渡辺　ハード面でいうと、活動を続けていくのに必要なのは集まることのできる場所、拠点だと思います。立教の新座キャンパス内には復興支援推進室があって、職員の方がいるから、何かあればすぐに相談できるし、ふらっとやってくることもできる。

他大学では学生だけで復興支援活動をやっているところもあると思うんですけど、正直それだとちょっと荷が重い。笠原さんみたいに他にやりた

いことがたくさんあって、無理のない範囲で参加したいという人もいる。支援室のおかげで、意識高い系のぐいぐい引っ張る人たちばかりではなくて、いろんなタイプの人が参加しつづける土壌ができていると思います。

かなり人生左右されているかも

谷廣　復興支援活動をやってきて、視野が広がったとか、学びになったというのは多くの学生が言っていますよね。

俺は、それに加えて、自分の地域についてもっと知る必要があるってのに気付きました。何度も行くことで、気仙沼についてはペラペラ話せるようになった。ところが地元の川崎市についてはも話せない。気仙沼大島の高齢化率は40％ってすぐに出てくるけど、川崎はいったい何％だろうって。

あと、支援活動をやりながら、次にどこかで災害が起きたとき、これまで学んだことを活かして引っ張っていくというか、立ち上がるのは自分かなという勝手な使命感を感じています。本当は、そういう機会がないほうがいいんだけど。

池澤　私は、復興支援に関わったことで、せっかく生きているんだったら人の役に立ちたいなと思いました。被災された方から、残された人は未来をつくっていく責任があるという話を聞いて、自分も成長していかなきゃいけないなと感じたんです。

就活する中でも、社会人になってから被災地とどういう関わり方ができるのかを考えていました。会社の面接で復興支援活動の話をすると、ボランティアはお金がもらえるわけではないので、一般企業ではあまり評価されなかったりします。でも、そういう話を真剣に聞いてくれて、じゃあ一緒にやろうよと言ってくれた会社があったので、それが就職先の決め手になりました。

笠原　私も自分がすごく成長したなと思います。昔はせまかった。あまり人と関わりたくなくて、仲のいい人としか話さないし、家にいるほうが好きだったんです。でも復興支援活動をするようになって、人と出会うことがすごく楽しみになって、

世界観が変わったというか…。

谷廣　やっとか（笑）。

笠原　石巻でお世話になっている方が、すごく悲しい経験をされているのに、私よりずっと希望を持った目をしていて、ちょっとあこがれるんです。自分の中につくっている垣根を、少し外れてみるのもいいかなと最近思っています。この活動でかなり人生を左右されているかもしれないとはよく思います。

門倉　僕も、大げさかもしれないですけど、高校生のときから考えて180度ぐらい変わりました。被災地でNPOを立ち上げてがんばっている人なんかに会うと、あー、都会で働いて、お金をいっぱいもらって悠々自適に暮らすだけが人生じゃないんだって思います。

　人との出会いが楽しくなったのは僕もそうで、新しい人と出会うために一歩を踏み出すことが怖くなくなりました。被災地のイベントのお知らせを見つけても、前は行かなかったけど、今はとりあえず行ってみるか、みたいな。東北のことを考えている人たちって、やっぱりいい人たちが多いと思うので、会ってみようと思います。

周りの人に言う？　言わない？

門倉　でも、僕は、周りの友人には復興支援活動のことを一切話さないです。就活に有利だからボランティアしてるんだよな、みたいに思われるのに抵抗があるので。

池澤　私はわりと話をするほうかな。ただ「へー、すごいね」と言われるのがイヤなので、ボランティアとは言わずに、東北のおじいちゃんおばあちゃんに会いに行っているとか、子どもたちと遊びに行っていると言うようにしています。友達に共感してもらって、活動に巻き込んでいければ理想かもしれないけど、それが無理でも、自分が発信し続けていくことが大事かなと思います。最近は、他人にどう見られるかをあまりビビらなくなっちゃいました。

谷廣　いけやん（池澤）は、よくフェイスブックで発信してるよね。

笠原　すごい。私はできないですよ。ビビリです。復興支援＝ボランティアって捉えられがちだし、そういう、意識高い系に見られたくないという気持ちが優先されちゃって。

ボランティアというと、東北が支援されているかわいそうな印象になるのがイヤなんです。私たちは支援するだけじゃなくて、支援されてもいるんだけど、そういうのは説明しにくい。海鮮丼食べたよとか、自慢っぽく言ったりして、自分なりに伝えようとはしているんだけど。

門倉　一度、いまさら東北に行って何をしているの、みたいに言われたことがあります。東北は自分の好きな土地になっているから、それを悪く言われるのは腹立たしいです。

谷廣　わかるわかる。でも、俺はどっちかというと（復興支援に行っていることを）言うほうかな。一つには、発信していれば何か有益な情報が入ってくるんじゃないかと思うから。例えばフェイスブックにあげておくと、何かのときに「あれ、君、復興支援やっているんだよね」とか言ってもらえる。

誰でもそうだけど、復興支援に行くのもタイミングがあるじゃん。俺も大学3年生になるまで行かなかったし。だからとりあえず発信しておいて、あ、まだ復興支援やっている奴がいるんだ、ぐらいに思ってもらえばいい。

それから、俺も、他人にどう思われるかは結構どうでもいいかも。もともとおかしい奴だったし（笑）。中学校のときからボランティアはやっているから、最初から意識高い系でいいよ。

復興支援はいつ終わる？

――みなさんは、「復興」や「復興支援」をどういうものだと考えていますか？

乾　僕は、言葉の定義として、復旧はマイナスからゼロにすることで、復興はそこからまた上の段階だと考えています。で、僕らの支援がまったく必要なくなったときに復興支援が完了するんじゃないかなと。

谷廣　支援が要らなくなるのが目的、目標ってことか。

池澤　私の場合、活動に参加する前の復興のイメージは、ハード面が整って普通に生活できるようになることでした。でも、現地の方が話をしながら言葉に詰まる姿とかを見ていると、まだ終わっていないんだなと感じることが多くて。だから、その人の中で、一区切りついたと腑に落ちているかどうかで違うのかなあ。もし腑に落ちた状態だったら、復興なのかなとはちょっと思うんですけどね。

門倉　僕が思っている復興は、小さい子からおじいちゃんまで、いろんな人が夢を持てるということかな。建物を作るもいいけど、そこに入る人が下を向いていたら、あまり意味がないと思う。

被災地でダンスのパフォーマンスをしたサークルが、その活動をフェイスブックにアップしているのを見て、知り合いが「結局自分のエゴにすぎないじゃないか」と言っていたんです。でも、子どもがそのダンスを見て、「俺もやりてえな」と思って、ダンスを習い始めて、将来何かのチャンピオンになったり、ダンス教室を開いたりするかもしれないですよね。子どもたちに希望をもってもらうのも大事じゃないかな。

渡辺　僕は、少し前まで、乾君みたいに自分たちが必要なくなったら復興だという考えだったんですけど、大学4年生になって、これから活動に参加できなくなるという時期に来て、このまま終わるのはすごくもったいないなと感じています。

震災は大きなマイナスで、本当にいろんなものを奪ったと思います。でも、それをマイナスだけにしないで、震災があったからできたつながりとか、交流とか、楽しいこと、プラスのことをどんどん増やしていくこともできる。それを感覚として比較したときに、プラスの部分が大きくなったら復興なのかな、と。難しいけど、ここまできたら復興が終わりとか、そういうふうに考える必要はないと思うんです。

笠原　震災前の状態に戻すということで考えると、無理じゃないですか。失ったものは戻ってこない。たとえキレイな町ができても、昔のさびれた感じの商店街が好きだったら、それは違うわけだし。単純に元に戻すということが無理な状況で、よりよい状態にすることの難しさを感じます。

渡辺　門倉君が言うように、ハード面が終わっても、それはまだ復興じゃない。生きる活力みたいなのが必要です。外から学生が入ることで、それまで当たり前だと思っていたものが実は喜ばれるとわかって、自分の町が好きになるということもあるみたいなので、そういう機会を増やしていけるといいのかなと思っているんですけど、どうですか。

谷廣　俺も、どこかをもって復興おしまいというのは違うと思っています。復興というゴールを設定すると、逆にその距離を感じてしまう。もっと小さい単位で、毎日復興があってもいい。一日を楽しく充実した気持ちで生きられたら、それが復興なのかなと。

それに、ずっと活動していると、自分が復興支援しているという感覚はなくなってくるんだよね。支援するというより、そこの人たちと仲よくなったから会いたいという気持ちになる。気仙沼大島は、俺にとってはすごく行きたい場所だし。

渡辺　分かります。

谷廣　先輩たちが「私のふるさと」みたいに形容するのは、そこなのかなと思って。外部の人間だったのが、通っているうちに内部になってくる。だから、復興支援というとぴんとこないのかもしれません。

笠原　私はみなさんとベクトルが違うかもしれないんですけど、復興支援というのを考えていくうちに、「防災」という概念にたどり着きました。なぜかというと、被災された方が、震災当日の話をしてくれるじゃないですか。それは、私たちにそういう思いをさせたくないからですよね。もし首都直下地震が起きて自分が何もできなかったら、被災地から学ばなかったことになるなと感じて、私は防災を中心にこれからの活動をしようと思っています。

乾　なるほどね。

活動を次の世代に引き継げるか

門倉　学生の活動ということを考えると、震災当時の年齢がどんどん下っていくでしょう。復興支援といっても、よくわからないんじゃないかなというのはあります。でも、興味がある人には、できるだけ早いうちに一回東北に行ってもらいたい。それで、行き続けるかどうかを判断してもらえたらなと。

笠原　小学校低学年の時に震災を経験して、大学生になったら復興支援をやろうと思う子は、普通、まあいないと思うんですよ。よほど強烈な体験がないと。そういう中で、活動を続けていくのは大きな課題だなと思います。それもあって、私は「防災」を新たな活動として確立させたいなと思ったんです。

でも、私も、いろんな人に東北へ行ってもらいたいとは本当に思います。復興支援というハードルを下げて、東北に行くお得な旅行があるよ、みたいに始まってもいいのかも。

谷廣　俺は、そもそもこういう活動の継続は無理じゃねえ?と思っているところもあります。だって、阪神淡路大震災（1995年）のことを考えてみると、俺たちが生まれたころでしょう。歴史的事実としては知ってるけど、当事者意識は微塵もない。となると、オレらの活動もどこまで続くんだろうと思っちゃう。

門倉　阪神淡路での活動は続いているんですけど、調べてみたら、やっぱり中心は遺族なんですよ。結局そこになる。

谷廣　若い世代に引き継ぐことは考えなきゃいけないけど、やっぱり、その時代に生まれた自分たちが引っ張っていかなきゃいけないのかなという気がしているんだよね。世代としての責任、というか。

門倉　これからは、東北に行くことに何かメリットがあるといいのかな。この間宮城でお会いした人が技術交換の話をされていたんだけど、技術を勉強したい学生が、向こうで技術を学ぶことができるとか。

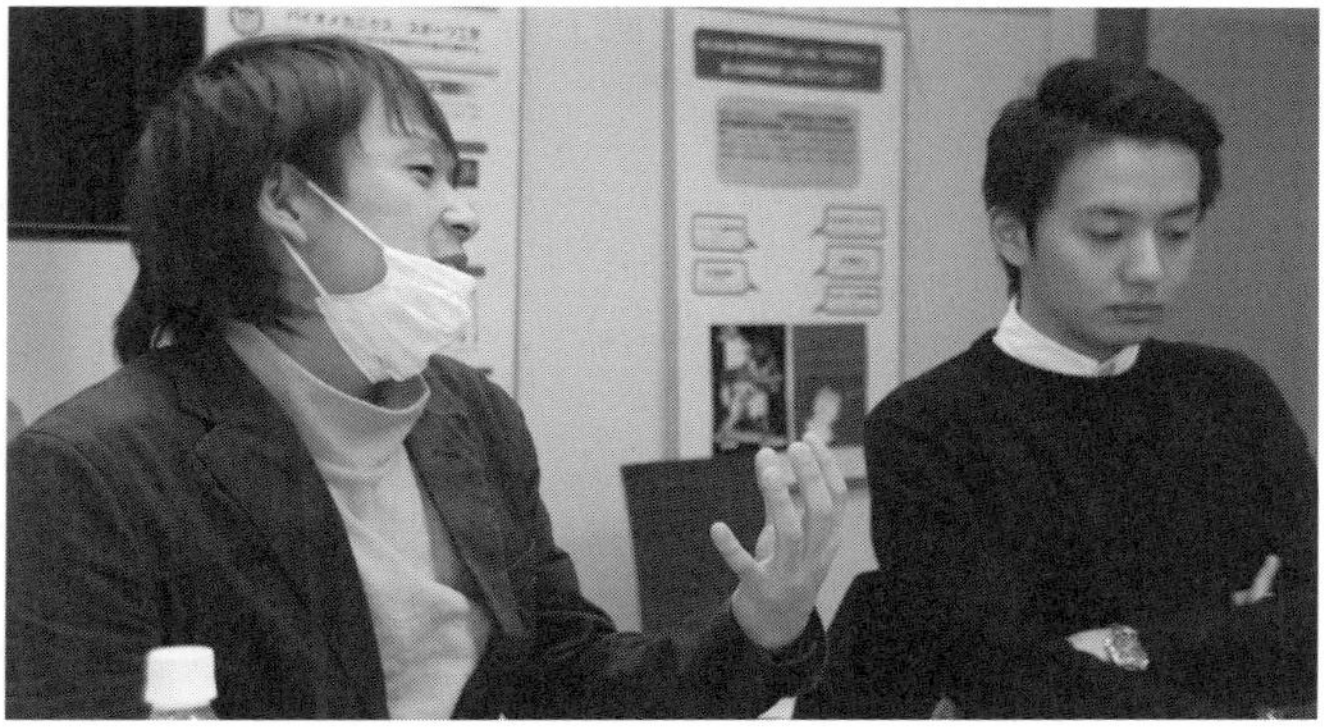

谷廣　今日来たメンバーはなんとなく復興支援活動を始めた人たちだったけど、これからはそれじゃ始まらないってことか。

門倉　そうです。

谷廣　何かしらのメリットがあったり、そこに行くことが自分の目標に沿っていたら、復興支援活動をやるってこと？

門倉　復興支援というのじゃ、もう駄目なんです。農業を勉強したいという気持ちがあって、だったら宮城が最適みたいな感じかな。

池澤　そうなると、地域の再生とかそういう視点になるのかもしれないですね。

私は、卒業しても東北に関わっていきたいと思う。でも若い世代にこうしなさい、ああしなさいというのとは違う。継続的に伝えていくけれど、それを聞いた人たちが自分たちなりに考えて動いていくのが大事かなと思います。

復興支援はボランティア？

谷廣　ところでさ、復興支援はボランティアだと思う？　ボランティアの意味はもともと自主的ってことじゃん。ああやれ、こうやれと言われてそれに乗っかるんじゃなくて、自分でやりたいという気持ちが大事ということ。でも、自分の活動を「ボランティア」って人から言われるのはなんかイヤなんだよね。

門倉　ボランティア活動って、阪神淡路大震災の後に広がったんですよね。だから「助ける」というイメージが強い。

笠原　日本ではボランティアのことを、「奉仕活動」、つまり、「何かしてあげる」というイメージで捉えている人が多いように感じます。私は、東北の人たちとの関係を、そういうふうに見られるのがすごくいやなんです。だから、ボランティアという言葉は絶対使わないようにしています。

谷廣　それに代わる、ぴったりな言葉ってないのかな。ボランティアとか復興支援というと、どうしても支援する・されるというニュアンスがあって、俺らがやっていることって、そうじゃないんだよなって思う。

門倉　応援とか？

谷廣　それも、応援する・されるだよね。

笠原　学ぶとか。

谷廣　うーん。例えば、協働っていうのかな、何かに一緒に取り組んだり作業をしていると、現地の人も楽しそうで笑顔がでるし、会話も弾むし、盛り上がっているような気がするんだよ。こっちが一方的に何かするというより、同じ目標に向けて一緒にがんばる仲間みたいになれるといいなと感じてる。ただ、それをなんて言えばいいのか難しい。

池澤　時間を共有するってことかな。それだったら、私が行っている気仙沼大島が、「ザ・それ」だと私は思うんですけど。何回も行くと子どもたちと顔なじみになってきて、勉強を教えるだけじゃなくて、料理の話とか恋バナしたりというのが楽しい。そういう時間を共有しているなと思いながら、私は参加してます。

困った人を助けるのは自然なこと

門倉　今、時間を共有するというのを聞いて、思い出したことがありました。２０１５年3月に女川に行った時、今度うちの会社でインターンやるけど来ない？みたいなことをぽろっと言われたんですよ。あと､立教とコラボして企画つくろうよ、という話をもらったりとか。そういう、利害が関係しないというか、支援する・されるというのとは違うところで誘ってくれたり、提案してくれるのは、すごくうれしい。これやってよじゃなくて、これやらない？みたいな。

池澤　私が陸前高田に行きます、みたいなことをフェイスブックにチャラっと書いたことがあったんです。そうしたら、以前に陸前高田でお世話になった人たちから、空いてる時間に車で案内してあげるよ、みたいな連絡がきた。向こうの人に何かメリットがあるわけじゃないのに、そうやって親切に声をかけてくれるのはうれしいなと純粋に思いました。

谷廣　利害がない関係っておもしろいね。俺は、自分の利益になる奴としか絡まないからな（笑）。

池澤　そうなんだけど、結果的にメリットになっているというのはいっぱいあるんですよ。

谷廣　自分の利益にならないかもしれないけど、関わるということか。

池澤　たとえば、ここで笠原ちゃんがぶっ倒れたとするじゃん。そうしたら普通にウチらは助けるじゃないですか。それと同じようなレベルで、何か向こうの人の役に立ちたいという気持ちなんです。

門倉　友達が倒れたら介護するのは自然なこと。でも、日本語で「ボランティア」って言ったとたん、不自然なことだと思われてしまう。

池澤　みんなが東北にとっつかない理由は、距離があるからだと思うんですよ。物理的にも、知識の面でも。だから、遠い土地で知らない人を助けている、エライね、みたいになっちゃうのかなと思います。

谷廣　地元の子ども会のリーダー研修会で、もっと余計なおせっかいを焼く必要があるんじゃないかという話をしたんです。おせっかいを、あえてがんがんやっていくことで、人と人のつながりとか、ひいては地域のつながりを生んでいくんじゃないかって。

門倉　復興支援は、対人関係の延長線上にある気がします。

池澤　だったら私は、復興支援を「思いあうこと」という言葉にしたいです。してあげる、してもらうという関係じゃなくて、両方がしているという関係。

笠原　私は復興支援という言葉にずっと疑問を持ちながらきたからなあ。でもやっぱり、「自分も得るものがあって、変わることもある」っていうのを言いたい。私、東北から帰ると、明日から早起きして頑張ろうと思うんです。それで、3日間ぐらいは早起きする（笑）。そういうふうに、東北に行くと何か変わることがある。

門倉　結局、何が復興支援かって、今すぐに分かるものじゃない気がします。何年か先に、あのときにあれやってよかったなって思えたら、それでいいんじゃないかな。

谷廣　じゃあ、カドちゃんの理解を踏まえて、俺は「人とつながった結果」かなととらえます。何かやった結果、復興支援だったんじゃねえ？と思えれば、それが復興支援なのかなという感覚です。そういう意味では、あれも復興支援、これも復興支援かもしれません。

——長いあいだ、ありがとうございました。

司会／熊上崇・岡博大

おわりに

本書は、私たちの活動で何らかの結論（活動が終了した、何かが明らかになったなど）が出たために出版するわけではありません。震災から五年が経つ時点で、これまで行ってきたことをまとめ、これから先、どのように活動を続けていくかを考えるための材料として、「中間のまとめ」をしようというものです。

いまの時期は、全体的な流れとしては、仮設住宅の時期がほぼ終わり、災害（復興）公営住宅 への移転や自力再建の時期になって来ていると思いますが、懸案である「新しいコミュニティの再生・創生」がどのように行われていくかは、まだまだよく見えないのが実態です。

仮設住宅の時期には、光熱水費は自己負担でも家賃そのものの負担はなく、集会所の管理費なども不要でしたが、災害（復興）公営住宅になると、家賃や共益費（集会所などの光熱水費など）が必要になります。またこれまで、ほとんどの人が広い敷地の一戸建てに住んでいましたが、四階建て以上の集合住宅に住むことへの戸惑いや隣近所との付き合い方や距離の取り方に悩んでいるように思えます。また、新しい場所に自力で住居を移し（自力再建）、新しい生活を始めた人もいますが、そこのコミュニティにどのように順応するか、悩んでいる人もいるようです。

一方、首都圏に避難してきた人たちのなかには、帰還できた人もいますが、帰還を諦め定住を決めた人もいます。しかし彼らも、いまの住居に住み続けられる保証はありません。また、自主避難してきた人たちへの住宅支援も２０１６年度末で打ち切られることになり、彼らも、帰還するか別の場所に定住するかの決断に迫られています。

このように、人々の暮らしとコミュニティの再生・創生は、いろいろな意味で流動的で複雑です。復旧・復興を「普通の暮らしに戻る」ことと捉えるならば、復旧・復興はまさに始まったばかりと言えます。実際、そうした新しいコミュニティづくりへの様々な試みも各地で始められています。私たちは、そうした状況にどのように関わっていけばよいのか。これからの方向性を探る必要があります。

「寄り添い型」「伴走型」の活動

私たちの活動は、何か特別な専門的技術をもって、「支援する⇕支援される」「ボランティアする⇕ボランティアしてもらう」という「向かい合う」関係ではありません。同じところ、同じ人たちを、回数を重ねて訪ねることで、自然に信頼関係が築かれ、その結果として、「交流」を重ねてきたに過ぎません。仮設住宅を訪問し、イカのさばき方を教わったり、郷土食を作っていただいたりと、学生のほうが「してもらう」場合も多いのですが、そうしたことを学生が真剣に受け止めることで、被災した人たちが元気になるという面白い「構造」があるようです。

それは、「同じ方向を向いて」「馴染みの関係をつくる」という、「寄り添い型」「伴走型」の活動ということなのだろうと思います。そのこともあって、いつの頃からか、私たちは「支援」「ボランティア」という言葉を使わなくなりました。「復興支援」というプロジェクトの名前も、そろそろ、変える必要があるかもしれません。
ある学生は、そうした変化を次のように述べています。
「最初のころは、本当に関わっている現地をどうにかしたいというか、何とかして力になりたいという気持ちで行っていたのですが、それが徐々に変わっていって、そこに住んでいる人に会いたいからとか、その場所が好きだから行きたいとか。だから私はもうボランティアしにいくという感覚ではないのです。(中略) そこに会いたい人がいるとか、そこでの活動が楽しいとか、そういうものがないと、長く活動は続けられないのではないかな」(荻生奈苗さんの発言「座談会　コミュニティ福祉学部の震災復興支援の取り組み」立教大学コミュニティ福祉研究所紀要第1号、120ページ、2013年)
理念的にはその通りだと思いますが、そうは言うものの、現実には、拠点ごと、参加者ごとに異なっているのも事実です。また、世間では「震災の記憶」の風化が懸念されていますが、この春に入学する新一年生が、震災のときは中学二年生だったことを考えれば、無理もないことかもしれません。

来るべき大震災、超高齢社会に備えて

私たちの活動は、「被災地」の方々と継続的な交流をすることが第一の目的となっており、最も重要であることは言うまでもありません。しかし将来のことを考えれば、以下のような点を意識しておく必要があるのではないかと思います。

ひとつは、今後30年以内にほぼ確実に起きると言われている、東南海地震や首都圏直下型地震の防災・減災を考えた場合、東日本大震災への対応とその経験の蓄積はとても重要になるということです。

阪神淡路大震災以降、災害ボランティア活動に多くの方が駆けつけ、復旧・復興作業に力を貸してくれるようになったことは、大きなことだと思いますが、外から来た人たちがいつまでも力添えをしてくれるわけではありません。個人ボランティアはもちろんのこと、大きなNPOやNGOも時期を見て撤退することになります。そうした外部の団体の中で、長期的に活動を継続できる集団として自治体、企業、大学があると思います。自治体や企業は、今でも、「被災地」に人員を派遣して復旧・復興の支援を行っています。一方大学は、一人ひとりの学生をみると、おおむね4年で卒業してしまいますが、新たに入学する学生へつなぐことができれば、自治体や企業と同じような継続的な働きが期待できるのではないかと思います。

そして、自治体や企業のような専門性はなくても、学生は、行って話をして交流するだけで活気を生み出すような不思議な力を持っています。そのためには、上級生から下級生へ、先輩から後輩へ、意識的につなげていく仕組みを構築する必要があります。

そのように考えると、今後の大震災に備えて、大学での語り継ぎと、大学間ネットワークの構築が非常に重要になってくると思います。岩手・東京・兵庫・高知等の大学生が一緒に高知に行き、南海地震を想定して意見を交換するという「未災地ツアー」という試みが行われましたが、こうしたことが、大学の支援のもとに進められることが必要ではないかと思います。

もうひとつは、今回の「被災地」の多くは、すでに相当、過疎・高齢化が進んでいた地域であり、震災によってそれが加速されていることはすでに触れましたが20年後の首都圏は急速な高齢化によって、いまの「被災地」と同じような高齢社会になると予測されています。そうなった社会に首都圏直下型地震が来たと想定した場合、いま「被災地」で起きていることが、何十倍もの規模で起きることになるかもしれません。それへの備えとして、いま起きていることをしっかり把握し、今回の「被災地」に対する復旧・復興活動をより充実させ、成功に導く方策を見つける努力をする必要があると思います。

活動を「縮小」させつつ「継続」する

私たちは、「最低でも5年、長くて10年」のスパンで活動を考えてきました。その折り返し点に近づいてきた現在、新しい困難に直面しています。

ひとつは財源の問題です。学部内、学内あるいは外部助成団体の資金は、漸次、縮小されつつあります。「避難者支援」が「定住者支援」に変わると、そのこと自体は復旧・復興が進んでいることになるのですが、震災用の助成金の該当範囲ではなくなったりします。普通のコミュニティづくりの活動になるからです。また、「被災地」での活動に対する助成も、現地団体を優先する傾向になって来ています。このことも地元が力をつけて行く上では大事なことだと思います。しかし、このような傾向の中で、首都圏にある大学として、どのように活動を継続していけばよいのか、悩ましいところです。

ふたつめは学生の意識（想像力）とそれへの働きかけの問題です。上述したように、様々な工夫を重ねて、震災を風化させないようにしていますが、それでも、以前の活動では壊れたままの建物などの間を縫って移動していたものが、更地や公園になったり新しい建物が建ったりすると、震災があったことをなかなか想像できなくなります。これも、復旧・復興としては望ましいことなのですが、初めて活動する新入生などにとって、リアリティを持って震災を実感できなくなる原因になっています。

しかし、被災した方たちをお訪ねし、お話を伺うなかで、これまでの「支援」ではない、学生らしい「交流」が生まれることも事実なので、一度そうした経験をすると「リピーター」になる学生もかなりいます。そうした仕掛けをどのように作っていくか、ますます工夫が必要になってくると思います。

いずれにせよ、これからの5年は、そうした工夫を積み重ねながら、活動の「縮小」を迫られることになると思います。とは言え、いきなり止めてしまうことは絶対に避けたいと考えています。現在のプロジェクトは中止してしまったとしても、学生の自主的なサークル活動であったり、教員のゼミのテーマとして取り組んだり、あるいは卒業してからも個人やグループで交流を続けたり、様々な形で「継続」を考えていく必要があると思います。

本書を出版するにあたっては、多くの方にお力添えをいただきました。

何よりまず、私たちの活動拠点である各地の皆さんに感謝いたします。ご自分のこれからの生活が見え辛い方も多いなか、私たちを受け入れ、長いお付き合いをさせていただき、多くの学びを得ることができました。本書の出版の際にも原稿をお引き受けいただきました。重ねて感謝いたします。これからもよろしくお願いいたします。

また、そうした活動を可能にしてくださっている各拠点の自治体、社会福祉協議会、福祉施設や介護事業所、小学校や児童館、NPO法人等の職員の皆さん、宿泊施設や復興商店街、地域新聞社並びに地域住民の方々にも感謝申しあげます。さらに、活動の基盤を支えてくださいました方々にも感謝いたします。とりわけ、活動資金や物資を助成してくださいました、中央共同募金会（赤い羽根ボランティアサポート募金）、公益財団法人大和証券福祉財団、埼玉県社会福祉協議会、東京城西ロータリークラブ、電通育英会、全日本社会貢献団体機構、三菱商事復興支援財団、公益財団法人ＪＫＡ、ベネッセ募金（現、公益財団法人ベネッセこども基金）、住友商事、住友生命、ガリバー、ＮＰＯ法人ケアセンターやわらぎ等の組織・団体並びに関係者の皆さんに厚くお礼申しあげます。

最後に、学内・学部内で、活動の基盤を整えてもらったり連携協働してもらった、総長室教学連携課（復興支援本部）、ボランティアセンター、社会学部ＲＤＹ、コミュニティ福祉学部の教職員、そして活動の中心を担ってもらった復興支援プロジェクトのメンバー、支援室のスタッフ、加えて、活動に参加したすべての学生の皆さんに心から感謝いたします。

とくに、プロジェクトのメンバーと支援室のスタッフの熱い気持ちと頑張りがなければ、これほど長く活動を続けられなかっただろうと思いますし、学生の皆さんの成長を目の当たりにしなければ、継続する力も生まれなかったのではないかと思い、改めて深く感謝する次第です。私たちの活動はまだ道半ばで、これからも多くの困難があると思いますが、一丸となって進んでいきたいと思います。

本書を手に取っていただいたすべての皆さんに、東日本大震災の復旧復興活動の今後の展開、あるいは学生がこうした活動に関わることの意義について、少しでもご理解ご賛同いただければ幸いです。

森本佳樹

助成金一覧

〈2011年度〉

社会福祉法人中央共同募金会赤い羽根
「災害ボランティア・NPO活動サポート募金」(ボラサポ)募金第4次

〈2012年度〉

三菱商事復興支援財団　2012年度復興支援助成金
社会福祉法人埼玉県社会福祉協議会　被災地支援活動助成金
公益財団法人JKA　平成24年度東日本大震災復興支援補助(第2次)
公益財団法人大和証券福祉財団　　第2回災害時ボランティア活動助成
社会福祉法人中央共同募金会　赤い羽根ボラサポ募金第8次

〈2013年度〉

全日本社会貢献団体機構　特別助成コミュニティ強化支援事業
公益財団法人三菱商事復興支援財団　2013年度復興支援助成金
公益財団法人電通育英会　人材育成活動への助成事業
社会福祉法人中央共同募金会　赤い羽根ボラサポ募金第12次
東京城西ロータリークラブ　未来貢献プログラム

〈2014年度〉

ベネッセ募金(現・公益財団法人ベネッセこども基金)
社会福祉法人中央共同募金会　赤い羽根ボラサポ募金第15次

〈2015年度〉

社会福祉法人中央共同募金会　赤い羽根ボラサポ募金第17次
住友商事　東日本再生ユースチャレンジ・プログラム
公益財団法人電通育英会　人材育成活動への助成事業

寄付一覧

〈2011年度〉

株式会社ガリバーインターナショナル
特定非営利活動法人ケア・センターやわらぎ

〈2012年度〉

住友生命保険

立教大学コミュニティ福祉学部 東日本大震災復興支援プロジェクト 歴代メンバー

〈2011年度〉

委員長： 森本 佳樹、**委員：**松山 真、湯澤 直美、鈴木 忠義、河東 仁、空閑 厚樹、原田 晃樹、和 秀俊、大石 和男、杉浦 克己、石井 秀幸

東日本大震災復興支援推進室（事務局）：森本 佳樹（室長）、沖 直子、俵 登志子、片山 友子、大口 達也、任 賢宰、李 徳熙、新谷 健介、大塚 光太郎

〈2012年度〉

委員長：森本 佳樹、**委員：**松山 真、湯澤 直美、杉山 明伸、長倉 真寿美、鈴木 忠義、河東 仁、空閑 厚樹、原田 晃樹、和 秀俊、杉浦 克己、石井 秀幸

東日本大震災復興支援推進室（事務局）：森本 佳樹（室長）、沖 直子、俵 登志子、来住 謙次、青木 彩香、片山 友子、岡田 哲郎、大口 達也、李 徳熙、大塚 光太郎、川村 まな美、下村 功

〈2013年度〉

委員長：松山 真、**委員：**森本 佳樹、平野 方紹、湯澤 直美、杉山 明伸、長倉 真寿美、岡田 哲郎、河東 仁、原田 晃樹、空閑 厚樹、和 秀俊、大石 和男、杉浦 克己

東日本大震災復興支援推進室（事務局）：松山 真（室長）、沖 直子、俵 登志子、増田 健太、来住 謙次、新谷 健介、大口 達也、李 徳熙、荻生 奈苗

現地コーディネーター：菊田 榮四郎（前気仙沼市立大島小学校長／立教大学コミュニティ福祉学部気仙沼大島コーディネーター）、大塚 光太郎（NPO 法人子どもグリーフサポートステーションスタッフ／立教大学コミュニティ福祉学部陸前高田コーディネーター）

〈2014年度〉

委員長：森本 佳樹、**委員：**松山 真、湯澤 直美、杉山 明伸、長倉 真寿美、岡田 哲郎、河東 仁、熊上 崇、坂無 淳、原田 峻、沼澤 秀雄

東日本大震災復興支援推進室（事務局）：森本 佳樹（室長）、岡 博大（次長）、新井 歩、増田 健太、大口 達也、李 徳熙、荻生 奈苗、大和田 晴香、宮田 瑠子

現地コーディネーター：菊田 榮四郎（前気仙沼市立大島小学校長／立教大学コミュニティ福祉学部気仙沼大島コーディネーター）、大塚 光太郎（NPO 法人子どもグリーフサポートステーションスタッフ、立教大学コミュニティ福祉学部陸前高田コーディネーター）

〈2015年度〉

委員長：森本 佳樹、**委員：**松山 真、湯澤 直美、杉山 明伸、長倉 真寿美、岡田 哲郎、河東 仁、熊上 崇、坂無 淳、原田 峻、権 安理

東日本大震災復興支援推進室（事務局）：森本 佳樹（室長）、岡 博大（次長）、新井 歩、村木 由紀子、増田 健太、渡辺 修司、大口 達也、李 徳熙、大和田 晴香、宮田 瑠子、石橋 里渉

現地コーディネーター：菊田 榮四郎（気仙沼市立大島児童館館長／立教大学コミュニティ福祉学部気仙沼大島コーディネーター）、大塚 光太郎（NPO 法人子どもグリーフサポートステーションスタッフ／立教大学コミュニティ福祉学部陸前高田コーディネーター）

復《ふっ》興《こう》支《し》援《えん》ってなんだろう?

人とコミュニティによりそった5年間

二〇一六年三月一一日　初版一刷発行

著　者　立教大学コミュニティ福祉学部
東日本大震災復興支援推進室

発行者　比留川　洋
発行所　本の泉社
〒一一三-〇〇三三　東京都文京区本郷二ノ二五ノ六
電話　〇三（五八〇〇）八四九四
ファクス　〇三（五八〇〇）五三五三
http://www.honnoizumi.co.jp/

装幀・DTP　河岡隆（西崎印刷）
印刷・製本　亜細亜印刷株式会社

ISBN978-4-7807-1260-5　C0036
Printed in Japan